CUISINE
VÉGÉTARIENNE

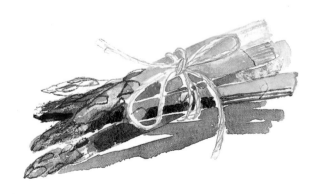

TORMONT

TORMONT

Conception graphique : Zapp
Choix des recettes : Marc Maulà
Traduit de l'anglais par : Line Plante

Recettes originales et photographies :
Ceres Verlag, Rudolf-August Oetker KG, Allemagne
Quadrillion Publishing Ltd., Royaume-Uni
Rolli Books, Inde

Recette figurant sur la couverture : voir *Salade d'avocat, de raisins, de fromage bleu et de noix*, p. 16
Recette figurant sur la 4e de couverture : voir *Cari de champignons*, p. 174

Canadä

L'éditeur remercie le ministère du Patrimoine canadien du soutien accordé
dans le cadre du Programme d'aide au développement de l'industrie de l'édition.

Gouvernement du Québec – Programme de crédit d'impôt
pour l'édition de livres – Gestion SODEC.

Imprimé en Chine

Table des matières

Introduction

De plus en plus de gens se tournent vers le végétarisme pour une multitude de raisons, certains pour le bien-être des animaux, d'autres pour des raisons environnementales et, enfin, un grand nombre pour des raisons de santé.

Selon des études effectuées, les végétariens courent beaucoup moins de risques d'être atteints d'un cancer que les gens qui consomment de la viande. De plus, comme les végétariens et végétaliens sont plus minces que les consommateurs de viande, et mangent plus de fibres et de glucides complexes sous forme de céréales complètes, de noix et de légumineuses et moins de gras saturés (qui se trouvent principalement dans les produits d'origine animale), ceux-ci ont un taux de cholestérol sanguin moins élevé, souffrent moins de maladies du cœur et bénéficient d'une plus grande protection contre les maladies intestinales.

Mais en plus de fournir une saine alimentation, un régime végétarien équilibré permet de goûter une foule de nouvelles saveurs au-delà des limites de l'alimentation traditionnelle. C'est l'occasion de profiter au maximum de la quantité de fines herbes, de fruits et de légumes frais et exotiques que l'on peut se procurer facilement tout au long de l'année, de même que des mélanges grisants d'épices et de saveurs des cuisines du monde entier. Puis il y a des aliments de base, aussi importants que nutritifs, dont le potentiel est énorme lorsqu'il s'agit de créer des plats délicieux et imaginatifs : les céréales au goût de noisette comme le couscous ou le riz sauvage, les savoureuses pâtes aux tomates et aux épinards, les noix douces comme les pistaches et les pacanes ou les tendres légumineuses, comme les flageolets et les pois chiches.

Vous trouverez, dans ce livre, une collection de recettes des plus appétissantes pour ceux qui apprécient la bonne nourriture, qu'ils soient végétariens convaincus ou non. Essayez les plats végétariens les plus connus de la cuisine internationale, tels que le gaspacho espagnol, le tzatziki grec, le cari de légumes indien et le taboulé du Moyen-Orient ou savourez les délices de quelques créations modernes, dont le pâté de cresson et de champignons, les beignets de panais, le gratin de pommes de terre et de courgettes ainsi que les biscuits au chocolat et aux amandes. Alors, n'hésitez pas et goûtez aux bienfaits des mets végétariens dès aujourd'hui !

Salades composées

Salade d'endives et de raisins noirs

Cette appétissante salade, riche en saveur et en texture, est rehaussée d'une vinaigrette citronnée au yogourt.

Préparation : 15 minutes · Portions : 4

250 ml	yogourt nature	1 tasse
30 ml	jus de citron	2 c. à s.
20 ml	mélisse-citronnelle hachée	4 c. à thé
	sel	
	sucre	
4	endives, effeuillées	4
4	pommes, pelées, évidées et tranchées	4
4	petites oranges, pelées et séparées en quartiers	4
30 ml	graines de tournesol	2 c. à s.
125 ml	raisins noirs	½ tasse
	feuilles de mélisse-citronnelle, pour décorer	

• Pour préparer la vinaigrette : dans un bol, mélanger le yogourt avec le jus de citron, la mélisse-citronnelle ainsi que du sel et du sucre au goût. Bien remuer et réserver.

• Dans un plat de service, dresser les endives, les tranches de pomme et les quartiers d'orange.

• Parsemer la salade de graines de tournesol et de raisins.

• Décorer de feuilles de mélisse-citronnelle et servir avec la vinaigrette au yogourt au centre ou en accompagnement.

Présentation suggérée : Servir avec de minces tranches de pain beurré.

Pour varier : Remplacer la pomme par une poire. Remplacer la mélisse-citronnelle par du persil frais. Remplacer les graines de tournesol par des graines de citrouille.

Salade de lollo rouge

Voici une variante très colorée de la salade grecque traditionnelle.

Préparation : 10 minutes · Portions : 4

½	laitue lollo rouge	½
3	tomates, coupées en dés	3
1	poivron rouge, épépiné et haché	1
1	poivron vert, épépiné et haché	1
4	branches de céleri, tranchées	4
500 ml	concombre, coupé en dés	2 tasses
500 ml	fromage cheddar, coupé en dés ou émietté	2 tasses
16	olives noires	16

VINAIGRETTE

20 ml	vinaigre d'estragon	4 c. à thé
60 ml	huile d'olive	4 c. à s.

• Déchiqueter la laitue en petits morceaux avec les doigts et mettre dans un bol.

• Ajouter les tomates, les poivrons, le céleri, le concombre et le fromage et mélanger.

• Pour préparer la vinaigrette : dans un petit bol, mélanger le vinaigre et l'huile et verser en filet sur la salade. Remuer délicatement.

• Mettre la salade dans un saladier et garnir d'olives.

Présentation suggérée : Servir à l'heure du midi avec un petit pain croustillant ou une baguette.

Pour varier : Remplacer les olives par des raisins noirs, coupés en deux et épépinés. Remplacer le céleri par quatre oignons verts. Remplacer le concombre par des radis.

CONSEIL DU CHEF

Pour que le céleri reste croustillant, bien nettoyer les branches et conserver au réfrigérateur dans un contenant d'eau froide.

Salade de cresson et d'oranges

Cette salade des plus appétissantes accompagne merveilleusement bien les viandes froides ou le poisson.

Préparation : 20 minutes · Portions : 4 à 6

3	grosses bottes de cresson	3
4	oranges	4
	carottes râpées	
90 ml	huile végétale	6 c. à s.
	jus et zeste de 1 orange	
1	pincée de sucre	1
5 ml	jus de citron	1 c. à thé
	sel et poivre noir fraîchement moulu	

• Enlever les grosses tiges du cresson, puis prendre soin de jeter les feuilles jaunes. Réserver.

• À l'aide d'un couteau bien aiguisé, retirer délicatement la pelure et la peau blanche des oranges. Recueillir le jus qui s'échappe dans un petit bol.

• Dégager chaque quartier d'orange de sa membrane. Presser le jus des membranes dans le bol contenant le jus de la pelure.

• Garnir une assiette de carottes râpées, de cresson et de quartiers d'orange.

• Mettre le reste des ingrédients dans le bol contenant le jus d'orange réservé et fouetter à l'aide d'une fourchette pour obtenir une consistance crémeuse.

• Verser la vinaigrette sur les oranges et le cresson juste avant de servir, afin que le cresson ne ramollisse pas.

●

Pour varier : Remplacer les oranges par des pamplemousses. Remplacer le cresson par de la chicorée.

Salade au bleu de Bresse

Cette salade raffinée peut tout aussi bien être servie seule en entrée qu'en accompagnement à un plat principal lors d'une réception estivale.

Préparation : 20 minutes · Portions : 4 à 6

1	trévise (radicchio), séparée	1
1	laitue romaine	1
1	botte de mâche ou de cresson	1
150 ml	tomates cerises, évidées et coupées en 2	⅔ tasse
120 g	fromage bleu de Bresse, ou autre fromage bleu, coupé en petits morceaux	4 oz
16	petits cornichons marinés, émincés	16
125 ml	noix de Grenoble, coupées en 2	½ tasse
30 ml	huile végétale	2 c. à s.
30 ml	huile d'arachide	2 c. à s.
30 ml	vinaigre de vin blanc	2 c. à s.
175 ml	fromage frais ou quark	¾ tasse
10 ml	feuilles d'estragon frais, hachées	2 c. à thé
	sel et poivre noir fraîchement moulu	

CONSEIL DU CHEF

On peut préparer cette salade à l'avance, mais ne verser la vinaigrette qu'avant de servir, sinon les feuilles de laitue ramolliront.

• Déchiqueter la trévise et la laitue romaine en petits morceaux. Effeuiller la mâche, mais laisser les feuilles entières. Enlever les grosses tiges et les feuilles jaunes du cresson, s'il y a lieu. Mettre dans un saladier et remuer.

• Ajouter les tomates, le fromage, les cornichons et les noix et remuer délicatement.

• Dans un petit bol, fouetter l'huile végétale et l'huile d'arachide avec le vinaigre de vin à l'aide d'une fourchette pour obtenir une consistance crémeuse. Incorporer, en pliant, le fromage frais et l'estragon. Fouetter vigoureusement, puis saler et poivrer au goût.

• Verser un peu de vinaigrette en filet sur la salade juste avant de servir. Servir la salade avec le reste de la vinaigrette.

Présentation suggérée : Servir avec de la baguette.

Pour varier : Utiliser n'importe quelle sorte de laitue. Remplacer le fromage frais par de la crème fraîche.

Salade de melon et de concombre, vinaigrette au roquefort

Voici une salade fruitée et rafraîchissante, accompagnée d'une vinaigrette piquante au fromage.

Préparation : 20 minutes · Portions : 4

½	concombre	½
1	cantaloup	1
1	lime	1
1	oignon	1
	quelques brins de menthe fraîche	
1	laitue croustillante	1

VINAIGRETTE

120 g	fromage roquefort	4 oz
125 ml	crème fraîche	½ tasse
15 à 30 ml	jus de citron	1 à 2 c. à s.
30 à 45 ml	crème à 10 %	2 à 3 c. à s.
	sel et poivre noir fraîchement moulu	

• Peler, puis émincer le concombre. Réserver.

• Couper le cantaloup en deux, retirer la peau, puis émincer la pulpe. Réserver.

• Retirer le zeste et la peau blanche de la lime. Émincer la pulpe et réserver.

• Émincer l'oignon, séparer les rondelles et réserver.

• Retirer les feuilles des brins de menthe et réserver.

• Effeuiller la laitue et dresser dans des assiettes.

• Disposer les tranches de concombre et de melon sur les feuilles de laitue et garnir de tranches de lime. Parsemer de rondelles d'oignon et de feuilles de menthe.

• Pour préparer la vinaigrette : émietter le fromage dans un petit bol, puis mélanger avec la crème fraîche, le jus de citron et la crème pour obtenir une consistance homogène. Saler et poivrer au goût.

• À l'aide d'une cuillère, napper la salade de vinaigrette et servir.

Présentation suggérée : Servir avec des tranches de pain multigrains.

Pour varier : Remplacer le melon par de la papaye ou de la mangue. Remplacer le fromage roquefort par du fromage stilton.

Salade d'avocat, de raisins, de fromage bleu et de noix

Cette salade colorée peut être servie chaude ou froide pour une collation ou un repas léger.

Préparation : 20 minutes · Cuisson : 1 à 2 minutes (au micro-ondes à puissance élevée) · Portions : 4

1	endive frisée	1
1	chicorée	1
1	trévise (radicchio)	1
2	petites bottes de mâche ou de cresson	2
1	laitue iceberg	1
2	avocats	2
250 ml	raisins noirs	1 tasse
60 ml	mélange de fines herbes fraîches, hachées	4 c. à s.
250 ml	noix en morceaux	1 tasse
120 g	fromage bleu, coupé en dés ou émietté	4 oz
45 ml	huile de noix et de pépins de raisin, mélangée	3 c. à s.
30 ml	vinaigre au citron	2 c. à s.
1	pincée de sucre	1
	sel et poivre noir fraîchement moulu	

CONSEIL DU CHEF

●

Il est important de déchiqueter l'endive, la chicorée et la trévise avec les doigts plutôt qu'avec un couteau, sinon les bords se décoloreront.

- Déchiqueter l'endive frisée, la chicorée et la trévise en petits morceaux et mettre dans un petit bol.

- Effeuiller la mâche, s'il y a lieu. Enlever les grosses tiges du cresson, s'il y a lieu. Mettre dans le bol.

- À l'aide d'un couteau bien aiguisé, émincer la laitue iceberg et mettre dans le bol.

- Peler, dénoyauter et émincer les avocats. Mélanger délicatement avec la salade.

- Couper les raisins en deux, en retirer les pépins et les jeter. Ajouter les raisins à la salade.

- Ajouter ensuite les fines herbes hachées, les noix et le fromage. Remuer délicatement pour ne pas briser les morceaux d'avocat.

- Dans un pot muni d'un couvercle, mettre l'huile de noix et de pépins de raisin, le vinaigre, le sucre ainsi que le sel et le poivre. Fermer hermétiquement le couvercle et secouer vigoureusement le pot afin de bien mélanger la vinaigrette.

- Verser la vinaigrette en filet sur la salade et remuer délicatement.

- Répartir la salade entre quatre assiettes.

- Si la salade est servie tiède, faire chauffer chaque assiette au micro-ondes de 1 à 2 minutes à puissance élevée juste avant de servir.

●

Présentation suggérée : Servir avec des tranches de pain de blé entier croûté.

Pour varier : Pour un mets végétalien, remplacer le fromage bleu par 300 g (10 oz) de champignons sauvages, cuits dans 60 ml (4 c. à s.) de vin blanc, puis égouttés et refroidis. Remplacer l'avocat par deux mangues de taille moyenne.

Salade estivale et vinaigrette crémeuse au fromage bleu

Voici un plat des plus appétissants pour un agréable repas estival.

Préparation : 15 minutes · Portions : 4

1	laitue Boston, effeuillée	1
1	botte de radis	1
½	concombre	½
10	olives vertes farcies	10
125 ml	fromage bleu, en cubes ou émietté	½ tasse
30 ml	crème sure	2 c. à s.
45 ml	huile d'olive	3 c. à s.
30 ml	vinaigre de vin blanc	2 c. à s.
	poivre noir fraîchement moulu	
	sucre	
15 ml	fines herbes fraîches, hachées finement	1 c. à s.

• Déchiqueter les plus grosses feuilles de laitue et mettre toute la laitue dans un saladier.

• Parer les radis. Émincer les plus gros et couper les plus petits en quartiers. Mettre dans le saladier.

• Couper le concombre en deux dans le sens de la longueur, en retirer les pépins, puis couper en tranches d'environ 5 cm (2 po) de long. Mettre dans le saladier.

• Couper la moitié des olives en deux et émincer celles qui restent. Mettre les moitiés d'olive dans le saladier.

• Pour préparer la vinaigrette : passer le fromage à travers un tamis dans un petit bol. Fouetter avec la crème sure, l'huile d'olive et le vinaigre de vin pour obtenir une consistance homogène.

• Incorporer les tranches d'olive, du poivre et du sucre au goût ainsi que les fines herbes hachées à la vinaigrette.

• À l'aide d'une cuillère, verser la vinaigrette sur la salade avant de servir.

●

Présentation suggérée : Servir en accompagnement avec du saumon poché froid ou du saumon fumé.

Pour varier : Remplacer les radis par des tomates cerises coupées en deux. Remplacer les olives farcies par des olives noires ou des olives marinées à l'ail et au citron.

CONSEIL DU CHEF
●

Pour la vinaigrette, utiliser du fromage roquefort ou stilton.

19

Salade au feta

Cette délectable salade est sans contredit d'origine grecque. On peut la servir comme un hors-d'œuvre substantiel ou comme un repas léger.

Préparation : 15 minutes · Portions : 4

½	petite chicorée frisée	½
½	petite laitue iceberg	½
1	petit concombre	1
4	grosses tomates	4
8 à 10	olives vertes ou noires dénoyautées, coupées en 2	8 à 10
1	oignon espagnol ou oignon rouge de taille moyenne, tranché	1
120 g	fromage feta	4 oz
75 ml	huile d'olive	5 c. à s.
30 ml	vinaigre de vin rouge	2 c. à s.
5 ml	marjolaine ou origan frais, haché	1 c. à thé
2 ml	sel de mer fraîchement moulu	½ c. à thé
1 ml	poivre noir fraîchement moulu	¼ c. à thé
2 ml	moutarde à l'ancienne	½ c. à thé

- Déchiqueter la chicorée et la laitue en petits morceaux et réserver.

- Émincer le concombre et réserver.

- Faire une petite entaille en forme de croix sur le dessus de chaque tomate et plonger dans l'eau bouillante pendant 30 secondes, puis dans l'eau froide. À l'aide d'un couteau bien aiguisé, retirer la peau des tomates, puis trancher la pulpe dans le sens de la largeur.

- Mettre la chicorée, la laitue, le concombre, les tomates, les olives et l'oignon dans un saladier. Bien mélanger.

- Couper le fromage en cubes de 1 cm (½ po) de côté. Répartir sur la salade.

- Dans un petit bol, fouetter le reste des ingrédients à l'aide d'une fourchette, pour obtenir une consistance crémeuse.

- Verser la vinaigrette sur la salade et servir immédiatement.

Présentation suggérée : Servir avec des pommes de terre au four ou du pain pita chaud ou grillé.

Pour varier : Remplacer le feta par du fromage haloumi, cheddar ou cheshire. Remplacer la marjolaine ou l'origan par du persil italien frais ou de la ciboulette fraîche.

Salade grecque

Voici une salade classique, mais toujours aussi populaire, composée de légumes marinés et de fromage feta.

Préparation : 15 minutes, plus le temps de macération · Cuisson : 5 à 10 minutes · Portions : 4 à 6

60 ml	huile d'olive	4 c. à s.
4	petites courgettes, tranchées	4
15 ml	aneth frais, haché finement	1 c. à s.
30 ml	huile de noix	2 c. à s.
30 ml	jus de citron fraîchement pressé	2 c. à s.
15 ml	vinaigre d'estragon	1 c. à s.
	sel et poivre noir fraîchement moulu, au goût	
	sucre, au goût	
4	grosses tomates, sans peau	4
1	poivron rouge, épépiné	1
1	poivron vert, épépiné	1
2	oignons	2
625 ml	fromage feta, émietté	2½ tasses
30 ml	persil frais, haché finement	2 c. à s.
5 ml	menthe fraîche ou mélisse-citronnelle, hachée	1 c. à thé
1	laitue Boston	1

• Faire chauffer l'huile d'olive dans une poêle et y faire cuire les courgettes, en remuant de temps à autre, jusqu'à ce qu'elles soient légèrement dorées. Parsemer d'aneth.

• Verser le liquide de cuisson dans un bol et y ajouter l'huile de noix, le jus de citron, le vinaigre, le sel, le poivre et le sucre.

• Couper les tomates en tranches, les poivrons en lanières et les oignons en rondelles.

• Ajouter les tomates, les poivrons et les oignons à la marinade et bien mélanger.

• Ajouter les tranches de courgette, le feta, le persil et la menthe et bien mélanger tous les ingrédients.

• Couvrir et laisser mariner au réfrigérateur pendant environ 1 heure.

• Avant de servir, couper la laitue en chiffonnade, puis mélanger avec la salade. Servir immédiatement.

Présentation suggérée : Servir avec des pains ciabattas ou du pain pita chaud.

Pour varier : Remplacer les oignons par des oignons rouges. Remplacer l'huile de noix par de l'huile de noisette ou d'olive. Remplacer le vinaigre d'estragon par un autre vinaigre aromatisé aux fines herbes. Remplacer le fromage feta par du fromage cheddar ou mozzarella végétarien.

Julienne de légumes aux pommes

Cette salade met en contraste des légumes crus et des légumes cuits d'une façon tout à fait délicieuse.

Préparation : 15 minutes · Cuisson : 9 minutes · Portions : 4

250 g	haricots verts, effilés	½ lb
1	branche de céleri, coupée en julienne	1
2	carottes, pelées et coupées en julienne	2
1	poivron jaune, coupé en julienne	1
1	poivron orange, coupé en julienne	1
1	petit concombre, pelé, épépiné, coupé en julienne	1
14	champignons, tranchés	14
2	pommes, évidées, pelées, tranchées	2
	sel et poivre fraîchement moulu	
5 ml	moutarde forte	1 c. à thé
75 ml	mayonnaise	⅓ tasse
15 ml	crème sure	1 c. à s.
	jus de citron	
	quelques gouttes de sauce Worcestershire	
	feuilles de laitue	
50 ml	amandes effilées grillées	¼ tasse
	persil frais haché	

• Faire cuire les haricots verts dans de l'eau bouillante salée pendant 5 minutes. Les retirer avec une écumoire et les mettre dans un bol rempli d'eau froide. Faire cuire le céleri et les carottes dans l'eau bouillante pendant 4 minutes, puis les mettre dans le bol d'eau froide.

• Bien égoutter les légumes et les assécher avec des essuie-tout.

• Mettre les légumes cuits et les légumes crus dans un grand bol. Ajouter les pommes, saler et poivrer.

• Dans un autre bol, mélanger la moutarde avec la mayonnaise et la crème sure. Verser sur la salade et bien mélanger.

• Rectifier l'assaisonnement, arroser de jus de citron et de sauce Worcestershire ; bien mélanger.

• Tapisser quatre assiettes de feuilles de laitue, puis garnir de légumes. Parsemer d'amandes et de persil avant de servir.

●

Pour varier : Remplacer la crème sure par du yogourt nature. Remplacer les pommes par des poires. Remplacer les amandes par des noix de Grenoble.

Salade Kensington

Cette nourrissante salade peut très bien être servie seule pour un repas estival en plein air.

Préparation : 10 minutes · Portions : 4

6	gros champignons, émincés	6
2	pommes moyennes, coupées en morceaux et mélangées avec du jus de citron	2
4	branches de céleri, taillées en allumettes	4
125 ml	noix de Grenoble en morceaux	½ tasse
2	bottes de cresson	2

VINAIGRETTE

30 ml	mayonnaise	2 c. à s.
30 ml	yogourt nature	2 c. à s.
5 ml	moutarde aux fines herbes	1 c. à thé
	un peu de jus de citron	
	sel et poivre fraîchement moulu	
	tranches de fraise et de kiwi, pour décorer	

• Mettre les champignons, les pommes, le céleri et les noix dans un bol.

• Mélanger les ingrédients de la vinaigrette, verser sur les légumes et remuer délicatement.

• Disposer le cresson dans une assiette ou un plat de service, puis y déposer la salade de légumes.

• Décorer de tranches de fraise et de kiwi et servir immédiatement.

Présentation suggérée : Servir avec des pains ciabattas chauds.

Pour varier : Remplacer le céleri par un bulbe de fenouil de taille moyenne. Remplacer les noix par des noisettes ou des amandes effilées. Remplacer le cresson par des petites feuilles d'épinard.

Salade du mont Carmel

On peut servir cette croustillante salade en accompagnement avec un plat chaud ou comme collation.

Préparation : 10 minutes · Portions : 4 à 6

2	carottes, pelées	2
1	poivron vert	1
2	abricots frais	2
15 ml	graines de sésame	1 c. à s.
250 g	fèves germées	8 oz
60 ml	vinaigrette à la française (huile et vinaigre)	4 c. à s.
30 ml	jus d'ananas non sucré	2 c. à s.

- Tailler les carottes en allumettes. Réserver.

- Épépiner, puis émincer le poivron. Réserver.

- Couper les abricots en lanières. Réserver.

- Dans une casserole, faire griller à sec les graines de sésame à feu doux jusqu'à ce qu'elles soient dorées. Retirer du feu et réserver.

- Dans un saladier, disposer les carottes, le poivron, les abricots et les fèves germées.

- Dans un bol, mélanger la vinaigrette avec le jus d'ananas, puis incorporer à la salade.

- Parsemer de graines de sésame et servir immédiatement.

Présentation suggérée : Servir en accompagnement avec une pizza ou une quiche aux légumes, ou avec du pain croûté.

Pour varier : Remplacer les graines de sésame par des graines de citrouille ou de tournesol. Remplacer le jus d'ananas par du jus de pomme ou d'orange. Remplacer les carottes par des courgettes.

CONSEIL DU CHEF

Utiliser des fèves germées d'une longueur d'au moins 2,5 cm (1 po) pour la préparation de cette recette.

Salade de champignons

Voici une succulente façon de goûter la saveur distinctive des champignons. On peut utiliser des champignons sauvages, seuls ou combinés avec des champignons cultivés.

Préparation : 10 minutes · Réfrigération : 1 à 2 heures · Cuisson : 5 minutes · Portions : 4 à 6

45 ml	huile végétale	3 c. à s.
500 g	champignons de Paris ou pleurotes, ou les deux, émincés	1 lb
1	oignon de taille moyenne, haché finement	1
15 ml	persil frais haché	1 c. à s.
1	concombre, coupé en petits dés	1
3 ou 4	tomates, sans peau, épépinées et tranchées	3 ou 4
60 ml	huile d'olive	4 c. à s.
15 ml	vinaigre de vin blanc	1 c. à s.
	poivre noir fraîchement moulu	
1	petite laitue iceberg	1

• Faire chauffer l'huile végétale dans une grande poêle et y faire cuire à feu doux, en remuant, les champignons et l'oignon de 2 à 3 minutes, ou jusqu'à ce qu'ils soient tendres. Laisser refroidir.

• Incorporer le persil ainsi que le concombre et les tomates.

• Dans un petit bol, à l'aide d'une fourchette, fouetter l'huile d'olive, le vinaigre de vin et du poivre au goût, pour obtenir une consistance crémeuse.

• Verser la vinaigrette sur les champignons et remuer délicatement afin de bien les en enrober. Réfrigérer la salade de champignons de 1 à 2 heures.

• Couper la laitue en chiffonnade et dresser dans un plat de service. Disposer la salade de champignons froide sur la laitue et servir immédiatement.

●

Présentation suggérée : Servir avec des melbas ou des petits pains de blé entier croustillants.

Pour varier : Remplacer les champignons de Paris par des champignons café. Remplacer les pleurotes par des chanterelles ou autres champignons sauvages. Remplacer le persil par de la coriandre fraîche hachée.

CONSEIL DU CHEF

●

On peut préparer cette salade à l'avance et la conserver au réfrigérateur.

Concombres dans une sauce crémeuse à l'aneth

Des concombres délicieusement parfumés avec de l'aneth frais composent ce plat d'accompagnement inusité.

Préparation : 15 minutes · Cuisson : 20 minutes · Portions : 4 à 6

2 ou 3	concombres, pour obtenir 875 g / 1¾ lb	2 ou 3
15 ml	beurre	1 c. à s.
1	botte d'oignons verts, parés et tranchés	1
1	poivron rouge, épépiné et coupé en petits morceaux	1
	jus et zeste râpé finement de 1 citron	
	sel et poivre blanc	
125 ml	crème à 35 %	½ tasse
30 ml	vin blanc sec	2 c. à s.
15 à 30 ml	aneth frais haché	1 à 2 c. à s.

• Peler les concombres, puis les couper en deux dans le sens de la longueur. À l'aide d'une cuillère, en retirer les pépins et les jeter, puis couper en tranches d'environ 1 cm (½ po) d'épaisseur.

• Faire fondre le beurre dans une casserole et y faire cuire les oignons verts pendant 5 minutes, en remuant de temps à autre, jusqu'à ce qu'ils soient tendres.

• Ajouter les concombres et faire cuire à feu doux pendant 3 minutes, en remuant de temps à autre.

• Ajouter le poivron et faire cuire pendant 5 minutes, en remuant de temps à autre, jusqu'à ce qu'il soit tendre.

• Ajouter le zeste et le jus de citron, puis saler et poivrer au goût. Couvrir la casserole et faire cuire à feu doux pendant 7 minutes, en remuant de temps à autre.

• Incorporer la crème et faire cuire quelques minutes à feu vif, avant de verser le vin. Parsemer d'aneth. Servir chaud.

Présentation suggérée : Servir avec des pommes de terre au four gratinées et du pain croûté ou de la polenta grillée.

Pour varier : Remplacer l'aneth par de la menthe fraîche. Remplacer le citron par de la lime.

Salade de poivrons verts

Cette salade peut être servie accompagnée de pain brun croûté pour un hors-d'œuvre ou avec du pain et des morceaux de fromage pour un repas léger.

Préparation : 10 minutes · Macération : 1 heure · Portions : 4

3	poivrons verts de taille moyenne	3
3	tomates de taille moyenne	3
2	oignons de taille moyenne	2
175 ml	lentilles germées	¾ tasse
	raisins noirs, pour décorer	

VINAIGRETTE

60 ml	huile d'olive	4 c. à s.
30 ml	vinaigre de vin rouge	2 c. à s.
10 ml	cumin moulu	2 c. à thé
2 ml	coriandre fraîche hachée	½ c. à thé

- Évider, épépiner, puis émincer les poivrons.

- Trancher les tomates et les oignons.

- Dresser tour à tour les poivrons, les tomates et les oignons dans une assiette et parsemer de lentilles germées.

- Dans un bol, fouetter vigoureusement les ingrédients de la vinaigrette et verser sur les légumes.

- Couvrir et laisser mariner pendant au moins 1 heure à la température ambiante avant de servir.

- Juste avant de servir, décorer de raisins noirs, tranchés en deux.

Présentation suggérée : Servir avec des pommes de terre au four et du fromage ou de la polenta grillée.

Pour varier : Remplacer les tomates par des tomates cerises. Remplacer les lentilles germées par de la luzerne. Remplacer l'huile d'olive par de l'huile de noix ou de noisette. Remplacer le cumin par de la coriandre moulue.

CONSEIL DU CHEF

S'assurer de faire germer des lentilles entières ; les lentilles rouges cassées ne germeront pas. On peut préparer cette salade à l'avance et la conserver au réfrigérateur. Sortir du réfrigérateur au moins 30 minutes avant de servir.

Salade de pommes de terre bavaroise

Il est préférable de préparer cette salade quelques heures à l'avance afin que les pommes de terre s'imprègnent des délicieuses saveurs.

Préparation : 15 minutes · Cuisson : 15 minutes · Portions : 4

1 kg	grelots	2 lb
60 ml	huile d'olive	4 c. à s.
4	oignons verts, hachés finement	4
2	gousses d'ail, écrasées	2
30 ml	aneth frais haché ou 10 ml (2 c. à thé) aneth séché	2 c. à s.
30 ml	vinaigre de vin	2 c. à s.
1 ml	sucre	¼ c. à thé
	sel et poivre noir fraîchement moulu	
15 ml	persil frais haché	1 c. à s.

• Nettoyer les pommes de terre en prenant soin de laisser la pelure, puis mettre dans une casserole. Couvrir d'eau, porter à ébullition et faire cuire jusqu'à ce que les pommes de terre soient tendres.

• Entre-temps, faire chauffer l'huile d'olive dans une poêle et y faire cuire les oignons verts et l'ail de 2 à 3 minutes, en remuant souvent, jusqu'à ce qu'ils commencent à ramollir.

• Ajouter l'aneth et faire cuire à feu doux pendant 1 minute.

• Ajouter le vinaigre de vin et le sucre et remuer jusqu'à ce que le sucre soit dissous. Retirer du feu, puis saler et poivrer légèrement.

• Égoutter les pommes de terre et les napper de vinaigrette pendant qu'elles sont chaudes. Bien remuer.

• Laisser refroidir et parsemer de persil haché avant de servir.

Présentation suggérée : Servir avec des légumes frais, cuits au four ou au gril.

Pour varier : Remplacer les oignons verts par deux petites échalotes. Remplacer l'aneth par de la menthe.

CONSEIL DU CHEF

●

On peut utiliser de l'ail frais en pot pour réduire quelque peu le temps de préparation.

Salade de poivrons trois couleurs

Voici une salade des plus appétissantes pour recevoir des amis. La cuisson au gril des poivrons leur donne une délicieuse saveur fumée.

Préparation : 30 minutes · Réfrigération : 1 heure · Cuisson : 5 minutes · Portions : 6 à 8

3	poivrons rouges	3
3	poivrons verts	3
3	poivrons jaunes	3
30 ml	huile végétale	2 c. à s.
90 ml	huile de tournesol	6 c. à s.
30 ml	jus de citron	2 c. à s.
30 ml	vinaigre de vin blanc	2 c. à s.
1	petite gousse d'ail, écrasée	1
1	pincée de sel	1
1	pincée de poivre de Cayenne	1
1	pincée de sucre	1
3	œufs durs	3
125 ml	olives noires dénoyautées	½ tasse
30 ml	feuilles de coriandre fraîche, hachées finement (facultatif)	2 c. à s.

CONSEIL DU CHEF

●

On peut conserver les poivrons dont on a retiré la peau au réfrigérateur jusqu'à 5 jours en les couvrant d'un peu d'huile.

• Couper les poivrons en deux, puis en retirer le cœur et les pépins. Avec la paume de la main, presser légèrement les moitiés de poivron sur une surface plate afin de les aplatir.

• Badigeonner la peau de chaque poivron d'un peu d'huile végétale, puis mettre au gril chaud préchauffé. Faire cuire jusqu'à ce que la peau commence à noircir et à se fendiller.

• Retirer les poivrons du gril et les envelopper dans un sac de plastique ou du papier d'aluminium. Laisser reposer de 10 à 15 minutes.

• Mettre l'huile de tournesol, le jus de citron, le vinaigre de vin, l'ail, le sel, le poivre de Cayenne et le sucre dans un bol et fouetter vigoureusement à l'aide d'une fourchette pour obtenir une consistance crémeuse.

• Couper les œufs durs en quartiers.

• Retirer les poivrons du sac de plastique ou du papier d'aluminium, puis enlever délicatement la peau. Couper les poivrons en lanières d'environ 2,5 cm (1 po) de largeur.

• Dresser les lanières de poivron en cercle dans une assiette, en alternant les couleurs. Garnir d'olives et de quartier d'œufs.

• Parsemer de coriandre, s'il y a lieu, puis napper de vinaigrette à l'aide d'une cuillère.

• Réfrigérer la salade au moins 1 heure avant de servir.

●

Présentation suggérée : Servir avec du pain croûté ou des petits pains croustillants.

Pour varier : Remplacer l'huile de tournesol par de l'huile de noix, de noisette ou d'olive. Remplacer le vinaigre de vin blanc par du vinaigre d'estragon. Remplacer les olives noires par des olives vertes.

Salade de champignons sauvages et d'artichauts

On trouve des champignons sauvages dans les supermarchés et les fruiteries. Voici une délicieuse façon de les apprêter.

Préparation : 25 minutes · Cuisson : 12 minutes (au micro-ondes à puissance élevée) · Portions : 4

2	artichauts	2
2	tranches de citron	2
2	feuilles de laurier	2
6	grains de poivre noir	6
500 ml	pleurotes, ou autre variété de champignons sauvages	2 tasses
30 ml	huile végétale	2 c. à s.
1	petite trévise (radicchio)	1
1	petite laitue iceberg	1
1	botte de cresson	1
1	petite botte de ciboulette fraîche, ciselée	1
90 ml	huile d'olive ou d'arachide	6 c. à s.
30 ml	vinaigre de vin blanc	2 c. à s.
15 ml	moutarde forte	1 c. à s.
	sel et poivre noir fraîchement moulu	
	brins de cerfeuil ou d'aneth frais, pour décorer	

• À l'aide d'un couteau bien aiguisé, couper les pointes des feuilles d'artichaut.

• Mettre les artichauts parés dans un bol allant au micro-ondes, y ajouter le citron, le laurier et les grains de poivre, puis les couvrir d'eau.

• Faire cuire au micro-ondes à puissance élevée de 7 à 8 minutes, ou jusqu'à ce que les feuilles du dessous des artichauts s'enlèvent facilement. Mettre les artichauts à l'envers sur une grille afin qu'ils s'égouttent complètement.

• Retirer les pieds des champignons, puis émincer les chapeaux.

• Mettre les tranches de champignon dans un bol avec l'huile végétale et remuer pour bien enrober chaque tranche d'huile. Faire cuire à puissance élevée de 1 à 2 minutes. Réserver.

• Déchiqueter la trévise et la laitue en petits morceaux, puis mettre dans un bol. Retirer les feuilles de cresson et mettre dans le bol avec la ciboulette ciselée.

• Dans un petit bol, fouetter, à l'aide d'une fourchette ou d'un petit fouet, l'huile d'olive, le vinaigre de vin, la moutarde ainsi que le sel et le poivre. Continuer de fouetter jusqu'à ce que la vinaigrette ait une consistance crémeuse et une couleur pâle. Réserver.

• Retirer les feuilles des artichauts égouttés et disposer joliment dans quatre assiettes. Disposer la salade de laitue sur les feuilles d'artichaut.

• Couper les extrémités touffues des cœurs d'artichaut et les jeter. Parer, puis émincer les cœurs. Mettre dans le bol de champignons sauvages et bien remuer. Verser la moitié de la vinaigrette sur les champignons et les cœurs d'artichaut et bien mélanger.

• À l'aide d'une cuillère, déposer des quantités égales de la préparation de champignons sur les feuilles d'artichaut et la laitue dans les assiettes.

• Faire chauffer chaque assiette au micro-ondes pendant 1 minute à puissance élevée. Décorer de cerfeuil ou d'aneth et servir avec le reste de la vinaigrette en accompagnement.

Présentation suggérée : Servir avec du pain pita chaud ou grillé.

Salade d'asperges

Voici une succulente façon de servir des asperges tendres et fraîches.

Préparation : 20 à 25 minutes · Cuisson : 10 à 15 minutes · Portions : 4

750 g	asperges	1½ lb
16	radis	16
350 g	tomates cerises	¾ lb
350 g	petites pommes de terre, cuites et pelées	¾ lb
8	oignons verts	8
VINAIGRETTE		
125 ml	huile aromatisée à l'ail	½ tasse
75 ml	vinaigre aux fines herbes	5 c. à s.
5 ml	moutarde douce	1 c. à thé
	sel et poivre noir fraîchement moulu	
	tiges d'oignon vert ou feuilles de ciboulette, hachées grossièrement, pour décorer	

• Couper les extrémités dures des asperges et peler les tiges. Porter une casserole d'eau salée à ébullition, puis y faire cuire les asperges de 10 à 15 minutes, jusqu'à ce qu'elles soient tendres.

• Retirer les asperges de la casserole, égoutter complètement, puis couper en morceaux de 5 cm (2 po) de long. Réserver.

• Parer et trancher les radis. Retirer la queue et le cœur des tomates et les jeter. Trancher la pulpe.

• Trancher les pommes de terre. Parer, puis émincer les oignons verts.

• Dans un bol, mélanger les asperges, les radis, les tomates, les pommes de terre et les oignons verts.

• Pour préparer la vinaigrette : dans un bol, fouetter l'huile, le vinaigre et la moutarde, puis saler et poivrer au goût.

• Verser la vinaigrette sur la salade, remuer et laisser reposer pendant 30 minutes avant de servir, afin de permettre aux saveurs de bien se marier.

• Servir et décorer de tiges d'oignon vert ou de feuilles de ciboulette.

Présentation suggérée : Servir avec du pain croûté ou des petits pains ciabattas.

Pour varier : Remplacer l'huile aromatisée à l'ail par de l'huile de noix, de noisette ou d'olive. Remplacer les asperges par des épis de maïs miniatures.

Salade espagnole

Voici une salade composée des plus vivantes que l'on peut servir en toute occasion.

Préparation : 15 minutes · Portions : 4 à 6

5	tomates	5
1	concombre	1
3	poivrons	3
2 ou 3	oignons	2 ou 3
1	laitue, effeuillée	1
1	œuf dur, tranché	1
	olives farcies, pour décorer	

VINAIGRETTE

45 ml	huile d'olive	3 c. à s.
60 ml	vinaigre de vin	4 c. à s.
15 ml	persil frais haché	1 c. à s.
15 ml	ciboulette fraîche hachée	1 c. à s.
	sel et poivre noir fraîchement moulu	
	sucre	

• Trancher les tomates et le concombre et mettre dans un saladier.

• Couper les poivrons en deux dans le sens de la longueur. Évider, épépiner, puis couper en lanières. Mettre dans le saladier.

• Trancher les oignons et séparer les rondelles. Mettre dans le saladier.

• Déchiqueter la laitue en morceaux et mettre dans le saladier. Remuer la salade.

• Pour préparer la vinaigrette : dans un petit bol, fouetter, à l'aide d'une fourchette, l'huile d'olive, le vinaigre de vin, 15 ml (1 c. à s.) d'eau, le persil et la ciboulette pour obtenir une consistance crémeuse. Saler, poivrer et ajouter du sucre au goût.

• Verser la vinaigrette sur la salade et bien remuer pour l'enrober.

• Décorer la salade de tranches d'œuf dur et d'olives avant de servir.

●

Présentation suggérée : Servir en accompagnement avec des poivrons farcis ou du poisson cuit au gril ou au barbecue.

Pour varier : Remplacer le concombre par deux cornichons à l'aneth de taille moyenne. Remplacer les tomates par des tomates cerises. Ajouter des filets d'anchois hachés finement ou du thon en conserve égoutté.

Salade tournesol

Cette salade colorée agrémente délicieusement bien un repas estival.

Préparation : 15 minutes · Portions : 4

45 ml	huile de tournesol	3 c. à s.
15 ml	jus de citron	1 c. à s.
	sel et poivre noir fraîchement moulu	
2	gros avocats mûrs	2
8	abricots mûrs	8
125 ml	yogourt nature	½ tasse
10 ml	miel	2 c. à thé
	zeste râpé de 1 citron	
10 ml	persil frais haché	2 c. à thé
1	petite laitue bibb ou Boston, effeuillée	1
125 ml	graines de tournesol grillées	½ tasse

• Verser l'huile de tournesol et le jus de citron dans un bol, puis saler et poivrer. Bien mélanger.

• Couper les avocats en deux dans le sens de la longueur, puis en retirer les noyaux et les jeter. Peler, puis couper en tranches d'égale épaisseur.

• Mélanger délicatement les tranches d'avocat avec l'huile et le jus de citron, afin de ne pas les briser.

• Couper les abricots en deux, puis en retirer les noyaux et les jeter. Si les abricots sont assez gros, les couper de nouveau en deux. Mettre dans le bol avec les avocats.

• Dans un autre bol, mélanger le yogourt, le miel, le zeste de citron et le persil.

• Répartir les feuilles de laitue entre quatre assiettes, puis disposer joliment les avocats et les abricots sur la laitue.

• À l'aide d'une cuillère, verser une petite quantité de vinaigrette au yogourt sur la salade, puis parsemer de graines de tournesol. Servir le reste de la vinaigrette en accompagnement.

Présentation suggérée : Servir comme hors-d'œuvre ou comme accompagnement avec un plat de poulet ou de poisson.

Pour varier : Remplacer les abricots par des quartiers de pamplemousse rose ou de pêches. Remplacer les graines de tournesol par des noix de pin.

Salade de concombre et d'ananas

Cette rafraîchissante salade peut accompagner un repas estival léger.

Préparation : 10 minutes · Trempage : 30 minutes · Portions : 4

20 ml	raisins secs	4 c. à thé
60 ml	jus d'ananas	4 c. à s.
1	concombre de taille moyenne, émincé	1
1	petit poivron rouge, épépiné et haché finement	1
500 ml	ananas frais, paré, coupé en cubes	2 tasses
60 ml	vinaigrette à la française (huile et vinaigre)	4 c. à s.
5 ml	menthe fraîche hachée finement	1 c. à thé
10 ml	graines de sésame	2 c. à thé

• Dans un bol, faire tremper les raisins secs dans le jus d'ananas pendant au moins 30 minutes.

• Placer les rondelles de concombre dans une assiette.

• Mélanger les poivrons, l'ananas et les raisins secs, puis déposer au centre de l'assiette garnie de concombre.

• Mélanger la vinaigrette et la menthe et verser sur la salade juste avant de servir.

• Parsemer de graines de sésame et servir immédiatement.

●

Présentation suggérée : Servir avec une quiche aux légumes ou des légumes grillés pour un repas principal ou avec du pain croûté pour un repas léger.

Pour varier : Remplacer les raisins secs par des raisins de Smyrne. Remplacer le jus d'ananas par du jus d'orange ou de pomme. Remplacer les graines de sésame par des graines de tournesol.

CONSEIL DU CHEF

●

À défaut d'avoir un ananas frais, utiliser des ananas en conserve (dans leur jus).

Pâtes, riz et légumineuses

Salade de pâtes et d'asperges

Cette salade raffinée constitue une merveilleuse façon de servir des asperges fraîches.

Préparation : 15 minutes · Cuisson : 15 minutes · Portions : 4

120 g	tagliatelle	4 oz
	sel	
500 g	asperges, parées et coupées en morceaux de 2,5 cm (1 po) de long	1 lb
2	courgettes, taillées en bâtonnets de 5 cm (2 po) de long	2
30 ml	persil frais haché	2 c. à s.
30 ml	marjolaine fraîche hachée	2 c. à s.
1	citron, pelé et séparé en quartiers	1
	zeste râpé et jus de 1 citron	
90 ml	huile d'olive	6 c. à s.
1	pincée de sucre (facultatif)	1
	sel et poivre noir fraîchement moulu	
1	laitue iceberg	1
1	chicorée frisée ou laitue frisée	1

CONSEIL DU CHEF
•

Mettre les ingrédients de la vinaigrette au citron dans un pot muni d'un couvercle et secouer vigoureusement afin de bien mélanger.

• Mettre les pâtes dans une casserole et couvrir d'eau bouillante. Saler légèrement et laisser mijoter de 10 à 12 minutes, jusqu'à ce qu'elles soient cuites ou *al dente*. Rincer les pâtes sous l'eau froide, puis laisser refroidir complètement.

• Faire cuire les asperges et les courgettes dans une casserole d'eau bouillante de 3 à 5 minutes, jusqu'à ce qu'elles soient cuites et tendres. Égoutter les asperges et les courgettes dans une passoire, puis les rincer sous l'eau froide pour les refroidir.

• Dans un grand bol, mélanger les pâtes, les légumes cuits, le persil, la marjolaine et les quartiers de citron délicatement pour ne pas briser les légumes.

• Dans un autre bol, mélanger le zeste et le jus de citron, l'huile d'olive, le sucre, s'il y a lieu, ainsi que le sel et le poivre.

• Verser la vinaigrette à l'huile et au citron sur la salade dans le bol et bien remuer pour enrober uniformément les légumes et les pâtes.

• Tapisser quatre assiettes de laitue et de chicorée frisée, puis garnir d'une quantité égale de salade de pâtes et d'asperges. Servir.

•

Présentation suggérée : Servir avec d'épaisses tranches de pain de blé entier.

Pour varier : Remplacer les asperges par des champignons. Remplacer les citrons par des oranges. Remplacer les tagliatelle par des fettuccine ou des spaghettis.

Salade gianfottere

Voici une délicieuse façon d'apprêter les légumes d'été à l'italienne.

Préparation : 30 minutes · Repos : 30 minutes · Cuisson : 30 minutes · Portions : 4

1	petite aubergine	1
2	tomates	2
1	grosse courgette, coupée en rondelles de 1 cm (½ po) d'épaisseur	1
1	poivron rouge, épépiné et haché grossièrement	1
1	poivron vert, épépiné et haché grossièrement	1
1	oignon de taille moyenne, haché	1
1	gousse d'ail, écrasée	1
60 ml	huile d'olive	4 c. à s.
	sel de mer et poivre noir fraîchement moulus	
500 g	pâtes de blé entier en forme de spirales ou de boucles	1 lb

• Couper l'aubergine en tranches de 1 cm (½ po) d'épaisseur et mettre dans une passoire. Saler et laisser égoutter pendant 30 minutes.

• Évider les tomates, puis hacher grossièrement la pulpe.

• Faire chauffer 45 ml (3 c. à s.) d'huile d'olive dans une poêle et y faire cuire l'oignon à feu doux, sans le faire dorer, en remuant de temps à autre, jusqu'à ce qu'il soit translucide.

• Bien rincer l'aubergine afin d'enlever le sel et assécher à l'aide d'essuie-tout. Hacher grossièrement.

• Incorporer l'aubergine, les tomates, la courgette, les poivrons et l'ail aux oignons et faire cuire à feu doux pendant 20 minutes, en remuant de temps à autre. Retirer du feu. Saler et poivrer au goût et laisser refroidir complètement.

• Faire cuire les pâtes dans une casserole d'eau bouillante salée de 10 à 15 minutes, jusqu'à ce qu'elles soient tendres ou *al dente*.

• Rincer les pâtes sous l'eau froide et égoutter complètement.

• Mettre les pâtes dans un saladier et incorporer le reste de l'huile, soit 15 ml (1 c. à s.).

• Bien mélanger les légumes avec les pâtes et servir.

●

Présentation suggérée : Servir avec des petits pains ciabattas chauds ou en accompagnement avec un plat de poisson ou d'œufs.

Pour varier : Remplacer l'aubergine par des champignons tranchés; dans ce cas, ne pas saler. Remplacer l'oignon par un poireau. Remplacer les pâtes de blé entier par un mélange de pâtes aux épinards et aux tomates de n'importe quelle forme.

Salade de pâtes, de petits pois et de poivrons

Cette salade haute en couleur, quoique simple, peut constituer à elle seule un repas nourrissant.

Préparation : 20 minutes · Cuisson : 15 minutes · Portions : 4

250 g	mélange de pâtes en forme de coquilles ordinaires et de blé entier	8 oz
500 ml	petits pois congelés	2 tasses
2	petits poivrons verts, épépinés et tranchés	2
2	petits poivrons rouges, épépinés et tranchés	2
2	petits poivrons jaunes, épépinés et tranchés	2
125 ml	huile végétale ou d'olive	½ tasse
60 ml	vinaigre de vin blanc	4 c. à s.
30 ml	moutarde forte ou à l'ancienne	2 c. à s.
20 ml	graines de pavot	4 c. à thé
20 ml	persil frais haché	4 c. à thé
10 ml	thym frais haché	2 c. à thé
	sel et poivre noir fraîchement moulu	
4	oignons verts, coupés en rondelles	4
120 g	fromage cheddar, râpé finement	4 oz
	feuilles de laitue	

• Faire cuire les pâtes dans une grande casserole d'eau bouillante légèrement salée de 8 à 10 minutes, jusqu'à ce qu'elles soient cuites ou *al dente*. Égoutter complètement et réserver.

• Faire cuire les petits pois et les tranches de poivron dans une casserole d'eau bouillante légèrement salée pendant 3 minutes. Égoutter et laisser refroidir.

• Dans un bol, mettre l'huile végétale, le vinaigre de vin, la moutarde, les graines de pavot, le persil et le thym ainsi qu'un peu de sel et de poivre.

• À l'aide d'une fourchette ou d'un petit fouet, fouetter vigoureusement la vinaigrette, jusqu'à ce qu'elle ait une consistance crémeuse et une couleur pâle.

• Mettre les pâtes dans un grand bol et y incorporer les légumes cuits.

• Verser la vinaigrette sur les pâtes et les légumes et remuer pour bien les en enrober. Couvrir et réfrigérer avant de servir.

• Incorporer les oignons verts et le fromage à la salade de pâtes et servir immédiatement sur un lit de feuilles de laitue.

Présentation suggérée : Servir avec des pointes de focaccia ou des tranches de ciabatta.

Pour varier : Remplacer le fromage par 125 ml (½ tasse) d'arachides salées.

Salade de pâtes colorée

Voici une appétissante salade de pâtes aux légumes variés, accompagnée d'une mayonnaise.

Préparation : 15 minutes · Cuisson : 20 minutes · Portions : 4

250 g	farfalle ou pâtes en forme de boucles	8 oz
3	carottes de taille moyenne, tranchées	3
250 ml	bouquets de chou-fleur	1 tasse
250 ml	petits pois congelés	1 tasse
125 à 175 ml	mayonnaise	½ à ¾ tasse
4	œufs durs, en quartiers	4
	brins de fines herbes fraîches, pour décorer	

• Faire cuire les pâtes dans une casserole d'eau bouillante de 8 à 10 minutes, jusqu'à ce qu'elles soient cuites ou *al dente*. Rincer, égoutter complètement et laisser refroidir.

• Entre-temps, faire cuire les carottes dans une casserole d'eau bouillante, couverte, pendant environ 5 minutes, puis y ajouter le chou-fleur et faire cuire pendant 4 minutes.

• Ajouter les petits pois et poursuivre la cuisson de 1 à 2 minutes, jusqu'à ce qu'ils soient cuits. Égoutter les légumes et laisser refroidir.

• Une fois qu'ils ont refroidi, mettre les légumes dans un bol avec les pâtes et mélanger.

• Ajouter la mayonnaise et mélanger, puis ajouter les quartiers d'œuf dur et remuer délicatement. Servir et décorer de brins de fines herbes fraîches.

●

Présentation suggérée : Servir avec du pain croûté et des pains ciabattas.

Pour varier : Remplacer le chou-fleur par du brocoli. Pour réduire la teneur en matières grasses, remplacer la mayonnaise par une vinaigrette au yogourt. Remplacer les petits pois par des grains de maïs.

Salade de riz et de noix

Cette rafraîchissante salade, riche en protéines et faible en gras saturés, est très saine et nutritive.

Préparation : 15 minutes · Repos : 10 minutes · Portions : 4

30 ml	huile d'olive	2 c. à s.
30 ml	jus de citron	2 c. à s.
	sel de mer et poivre noir fraîchement moulus	
150 ml	raisins de Smyrne	⅔ tasse
75 ml	groseilles	⅓ tasse
400 ml	riz brun cuit, égoutté complètement	1⅔ tasse
125 ml	amandes blanchies, hachées	½ tasse
125 ml	noix de cajou, hachées	½ tasse
125 ml	noix de Grenoble, hachées	½ tasse
398 ml	pêches en tranches dans du jus, égouttées et hachées	14 oz
¼	concombre, coupé en cubes	¼
125 ml	haricots rouges cuits	½ tasse
15 ml	olives noires dénoyautées	1 c. à s.
	feuilles de laitue	

• Mettre l'huile d'olive, le jus de citron ainsi que du sel et du poivre dans un pot muni d'un couvercle. Secouer vigoureusement pour obtenir une consistance crémeuse. Réserver.

• Mettre les raisins de Smyrne et les groseilles dans un petit bol et couvrir d'eau bouillante. Laisser reposer pendant 10 minutes, puis égoutter.

• Dans un grand bol, mélanger le riz, les amandes, les noix, les raisins, les groseilles, les pêches, le concombre, les haricots et les olives.

• Verser la vinaigrette sur la salade et remuer pour bien enrober tous les ingrédients. Servir sur un lit de feuilles de laitue.

Présentation suggérée : Servir avec du pain aux fines herbes ou alors avec du poulet ou du poisson grillé.

Pour varier : Remplacer les pêches par des abricots en conserve. Remplacer les noix de cajou par des pacanes. Remplacer les amandes par des noisettes. Remplacer les haricots rouges par des flageolets ou des dolics à œil noir.

Casserole de riz deux couleurs

Ce plat, d'origine cubaine, est composé de riz blanc et de haricots noirs, ce qui lui vaut son nom.

Préparation : 10 minutes · Cuisson : 1 h 30 pour les haricots, 25 à 30 minutes pour le plat · Portions : 4

250 ml	haricots noirs (faire tremper pendant toute la nuit, puis faire cuire jusqu'à ce qu'ils soient tendres)	1 tasse
45 ml	huile végétale	3 c. à s.
2	petits oignons, hachés	2
4	gousses d'ail, écrasées	4
2	petits poivrons verts, épépinés et hachés finement	2
4	tomates, sans peau et hachées finement	4
300 ml	riz à grains longs	1¼ tasse
	sel et poivre noir fraîchement moulu	
	brins de fines herbes, pour décorer	

• Égoutter les haricots cuits et en réduire 60 ml (4 c. à s.) en purée à l'aide d'une fourchette, en ajoutant un peu d'eau, s'il y a lieu. Réserver.

• Faire chauffer l'huile végétale dans une casserole et y faire revenir l'oignon, l'ail et le poivron, en remuant de temps à autre, jusqu'à ce qu'ils soient tendres.

• Ajouter les tomates et poursuivre la cuisson pendant 2 minutes.

• Ajouter la purée de haricots et mélanger.

• Ajouter le riz et les haricots cuits, puis couvrir d'eau.

• Porter à ébullition, couvrir et laisser mijoter de 20 à 25 minutes, en remuant de temps à autre, jusqu'à ce que le riz soit cuit ou *al dente*.

• Saler et poivrer au goût. Servir chaud et décorer de brins de fines herbes fraîches.

●

Présentation suggérée : Servir avec une salade verte et du pain croûté.

Pour varier : Remplacer les haricots noirs par une autre sorte de haricots, tels que des flageolets ou des haricots blancs. Remplacer les oignons par quatre petits poireaux.

63

Salade Leila

Cet appétissant plat, composé de riz cuit et de légumes frais crus, le tout servi avec une savoureuse vinaigrette, constitue un excellent repas léger.

Préparation : 15 minutes · Portions : 4

325 ml	riz brun à grains longs, cuit et refroidi	1⅓ tasse
175 ml	ananas paré, coupé en dés	¾ tasse
8	oignons verts, hachés finement	8
125 ml	amandes en flocons, légèrement grillées	½ tasse
8	radis, émincés	8
90 g	fèves germées	3 oz
	zeste de lime, pour décorer	

VINAIGRETTE

45 ml	huile de tournesol ou de carthame	3 c. à s.
15 ml	sherry	1 c. à s.
	jus de 1 lime	
5 ml	gingembre frais râpé	1 c. à thé
	sel et poivre noir fraîchement moulu	

• Dans un bol, mélanger le riz avec les ananas, les oignons verts, les amandes, les radis et les fèves germées. Réserver.

• Dans un petit bol, combiner tous les ingrédients de la vinaigrette et bien mélanger.

• Verser la vinaigrette sur la salade et remuer délicatement.

• Couvrir et réfrigérer jusqu'au moment de servir.

• Décorer de zeste de lime et servir.

●

Présentation suggérée : Servir avec des crêpes farcies ou du pain croûté.

Pour varier : Remplacer les fèves germées par des pois chiches germés. Remplacer les amandes par des noisettes ou des noix hachées. Remplacer l'ananas par de la mangue.

CONSEIL DU CHEF

●

On peut utiliser du gingembre en pot pour réduire quelque peu le temps de préparation.

Salade de brocoli et de chou-fleur

Voici une salade simple de légumes croustillants, servie avec une vinaigrette crémeuse au yogourt.

Préparation : 10 minutes · Portions : 4

1	poivron rouge, épépiné, coupé en lanières	1
1	petit brocoli	1
1	petit chou-fleur	1
15 ml	amandes en flocons, grillées	1 c. à s.
VINAIGRETTE		
60 ml	yogourt nature	4 c. à s.
30 ml	jus de citron fraîchement pressé	2 c. à s.
30 ml	huile d'olive	2 c. à s.
	sel et poivre noir fraîchement moulu	
1	pincée de muscade moulue	1

• Parer le brocoli et le chou-fleur et couper en petits morceaux.

• Mettre le poivron, le brocoli et le chou-fleur dans un bol.

• Pour préparer la vinaigrette : mettre le yogourt, le jus de citron, l'huile d'olive ainsi que le sel, le poivre et la muscade dans un pot muni d'un couvercle et secouer vigoureusement.

• Verser la vinaigrette sur la salade et bien mélanger.

• Répartir la salade entre quatre assiettes ou bols et décorer d'amandes en flocons. Servir.

Présentation suggérée : Servir avec des craquelins, des galettes d'avoine ou du pain croûté.

Pour varier : Omettre la muscade dans la vinaigrette et ajouter une petite quantité de fines herbes fraîches hachées. Remplacer le chou-fleur par 750 ml (3 tasses) de tomates cerises ou de champignons de Paris. Remplacer le jus de citron par du jus de lime fraîchement pressé.

Taboulé

Ce plat traditionnel du Proche-Orient, quoique rapide et facile à préparer, n'est pas moins délicieux pour autant.

Préparation : 15 minutes · Réfrigération : 1 heure · Portions : 4

250 ml	couscous cuit	1 tasse
4	grosses tomates, hachées finement	4
500 ml	concombre, haché finement	2 tasses
4	échalotes, émincées	4
	sel et poivre noir fraîchement moulu	
	jus de 2 citrons	
	zeste de 2 citrons, râpé finement	
30 ml	persil italien frais haché finement	2 c. à s.
30 ml	menthe fraîche hachée finement	2 c. à s.
	tranches de citron, pour décorer	
	brins de fines herbes fraîches, pour décorer	

• Rincer le couscous sous l'eau froide dans un fin tamis. Mettre dans un bol.

• Ajouter les tomates, le concombre, les échalotes, du sel et du poivre au goût ainsi que le jus et le zeste de citron.

• Bien remuer, couvrir et réfrigérer pendant 1 heure.

• Ajouter le persil et la menthe, goûter et rectifier l'assaisonnement, s'il y a lieu.

• Décorer de tranches de citron et de brins de fines herbes fraîches avant de servir.

●

Présentation suggérée : Servir sur un lit de laitue et garnir d'un œuf poché.

Pour varier : Remplacer le couscous par du boulghour cuit. Remplacer le citron par du jus et du zeste de lime. Remplacer le concombre par des champignons ou des radis.

Fiesta de flageolets

Voici un plat de haricots parfumés aux fines herbes qui saura ravir vos papilles gustatives.

Préparation : 15 minutes · Macération : 2 heures · Cuisson : 1 heure · Portions : 4

250 ml	flageolets (faire tremper toute la nuit, puis égoutter)	1 tasse
2	petits oignons, hachés finement	2
2	gousses d'ail, écrasées	2
½	concombre, haché	½
30 ml	persil frais haché	2 c. à s.
30 ml	menthe fraîche hachée	2 c. à s.
30 ml	huile d'olive	2 c. à s.
	jus et zeste de 1 citron	
	sel et poivre noir fraîchement moulu	
	cresson, pour décorer	

• Faire cuire les flageolets dans une casserole remplie d'eau bouillante pendant environ 1 heure, ou jusqu'à ce qu'ils soient tendres.

• Égoutter, mettre dans un bol et réserver.

• Ajouter les oignons, l'ail, le concombre, le persil, la menthe, l'huile d'olive, le jus et le zeste de citron et bien mélanger.

• Saler et poivrer au goût, couvrir et réfrigérer pendant 2 heures.

• Transférer dans un bol propre et décorer de cresson avant de servir.

●

Présentation suggérée : Servir avec des tranches de pain croûté.

Pour varier : Remplacer les flageolets par des haricots rouges. Remplacer l'huile d'olive par de l'huile aromatisée, aux piments ou aux fines herbes, par exemple. Remplacer le citron par du jus et du zeste de lime.

Salade de haricots blancs, de citron et de fenouil

Cette intéressante salade peut être servie le midi ou le soir, pour briser la routine.

Préparation : 15 minutes · Repos : 1 h 10 · Cuisson : 1 h 20 (au micro-ondes) · Portions : 4

250 ml	haricots blancs secs	1 tasse
2	petits bulbes de fenouil, émincés (réserver les feuilles pour la vinaigrette)	2
4	citrons	4
60 ml	huile végétale	4 c. à s.
2	bonnes pincées de sucre	2
	sel et poivre noir fraîchement moulu	
	feuilles de laitue et de trévise (radicchio)	
	brins de fines herbes fraîches, pour décorer	

• Mettre les haricots dans un bol et couvrir d'eau froide. Faire cuire au micro-ondes à puissance élevée pendant 10 minutes, puis retirer du four et laisser reposer pendant 1 heure.

• Égoutter les haricots et jeter le liquide de cuisson. Remettre les haricots dans le bol et couvrir d'eau fraîche.

• Faire cuire à puissance moyenne pendant 1 heure. Lasser reposer pendant 10 minutes avant d'égoutter complètement.

• Verser 550 ml (2¼ tasses) d'eau dans un bol et faire chauffer à puissance élevée de 5 à 7 minutes.

• Blanchir les tranches de fenouil dans l'eau bouillante pendant 2 minutes à puissance élevée. Égoutter complètement le fenouil et réserver.

• À l'aide d'un éplucheur, retirer le zeste du citron. Enlever complètement la peau blanche du zeste.

• Couper le zeste en lanières. Réserver.

• Presser le jus du citron. Mettre 30 ml (2 c. à s.) de jus de citron, l'huile, le sucre ainsi que du sel et du poivre au goût dans un petit bol et fouetter à l'aide d'une fourchette ou d'un petit fouet pour obtenir une consistance crémeuse.

• Hacher finement les feuilles de fenouil et ajouter à la vinaigrette.

• Dans un bol, mélanger les haricots et le fenouil cuits. Verser la vinaigrette au citron et mélanger pour bien enrober tous les ingrédients.

• Servir sur un lit de feuilles de laitue et de trévise. Décorer de brins de fines herbes fraîches et du zeste de citron réservé.

●

Présentation suggérée : Servir avec des pommes de terre nouvelles bouillies avec la pelure ou des pommes de terre au four.

Pour varier : Remplacer les haricots blancs par une autre sorte de haricots séchés, comme des flageolets ou des dolics à œil noir. Remplacer le citron par du zeste et du jus de lime. Utiliser de l'huile de noix ou de noisette pour varier la saveur.

Salade de haricots blancs

Cette salade, tout ce qu'il y a de plus simple à préparer, est toutefois assez élaborée pour être servie lors d'un dîner de fête. Il est préférable de la servir chaude.

Préparation : 15 minutes · Cuisson : 2 à 6 minutes (au micro-ondes à puissance élevée) · Portions : 6

250 à 280 g	cœurs d'artichaut en conserve	9 à 10 oz
1	oignon rouge, haché ou 4 oignons verts, émincés	1
1	gousse d'ail, écrasée	1
1	poivron vert, épépiné et haché	1
5 ml	basilic frais haché	1 c. à thé
5 ml	thym frais haché	1 c. à thé
10 ml	persil frais haché	2 c. à thé
750 ml	haricots blancs en conserve, rincés et égouttés	3 tasses
4	tomates, sans peau, épépinées et hachées	4
	feuilles de trévise (radicchio) et de chicorée frisée	

VINAIGRETTE

45 ml	huile d'olive	3 c. à s.
30 ml	vinaigre de vin blanc	2 c. à s.
2 ml	moutarde de Dijon	½ c. à thé
1	pincée de sel et de poivre fraîchement moulu	1

CONSEIL DU CHEF

Napper les légumes de vinaigrette pendant qu'ils sont chauds afin de faire ressortir toute leur saveur.

• Mettre les cœurs d'artichaut dans un grand plat allant au micro-ondes, incorporer le reste des ingrédients, sauf la vinaigrette et les feuilles de laitue, et couvrir. Faire cuire au micro-ondes, à puissance élevée, pendant 2 minutes pour bien réchauffer le tout.

• Dans un petit bol, mettre les ingrédients de la vinaigrette et fouetter à l'aide d'une fourchette pour obtenir une consistance crémeuse. Verser sur la salade tiède et remuer pour bien enrober les ingrédients.

• Tapisser six assiettes de feuilles de trévise et de chicorée frisée. Garnir de salade. À l'aide d'une cuillère, napper la salade de tout excédent de vinaigrette et servir immédiatement.

Présentation suggérée : Servir comme hors-d'œuvre ou comme repas léger, accompagné de pain de blé entier grillé.

Pour varier : Remplacer le poivron vert par un poivron rouge. Ajouter du thon ou du saumon en conserve égoutté.

Haricots marinés

Ce plat de haricots en vinaigrette peut constituer un repas végétarien des plus nourrissants.

Préparation : 15 minutes · Trempage : toute une nuit · Macération : 10 minutes · Cuisson : 1 h 30 · Portions : 4

250 ml	mélange de haricots rouges et blancs	1 tasse
1	brin de thym frais	1
500 ml	bouillon de légumes	2 tasses
2	clous de girofle entiers	2
1	oignon	1
2	gousses d'ail	2
1	feuille de laurier	1
	brins de fines herbes fraîches, pour décorer	

VINAIGRETTE

1	oignon, tranché	1
	sel de mer, pour parsemer	
2	gousses d'ail, écrasées	2
2 à 5 ml	moutarde forte	½ à 1 c. à thé
2 à 5 ml	origan séché	½ à 1 c. à thé
60 ml	vinaigre de vin rouge	4 c. à s.
75 ml	huile d'olive	5 c. à s.
1	botte de persil frais, haché finement	1
	poivre noir fraîchement moulu	

• Laver les haricots et les mettre dans un bol. Couvrir d'eau, ajouter le brin de thym et laisser tremper toute la nuit. Égoutter.

• Verser le bouillon de légumes dans une casserole et y ajouter les haricots.

• Peler l'oignon et y insérer les clous de girofle, puis mettre l'oignon, l'ail et la feuille de laurier dans le bouillon avec les haricots. Remuer.

• Porter à ébullition, puis couvrir, réduire le feu et laisser mijoter pendant 1 h 30, en remuant de temps à autre, jusqu'à ce que les haricots soient cuits et tendres.

• Filtrer à travers un tamis ou une passoire et réserver les haricots. Jeter le bouillon, l'oignon et l'ail.

• Entre-temps, pour la vinaigrette, mettre l'oignon dans un bol et parsemer de sel de mer. Laisser reposer pendant 10 minutes afin de permettre à l'oignon d'absorber le sel.

• Ajouter l'ail écrasé à l'oignon avec la moutarde, l'origan, le vinaigre de vin, l'huile d'olive, le persil et du poivre.

• Mélanger la vinaigrette avec les haricots, couvrir et laisser mariner au réfrigérateur pendant quelques heures avant de servir. Décorer de brins de fines herbes fraîches et servir.

●

Présentation suggérée : Servir avec du pain à l'ail.

Pour varier : Remplacer la moutarde forte par de la moutarde à l'ancienne. Remplacer l'huile d'olive par de l'huile de noix ou de noisette. Remplacer le persil par du basilic frais.

Salade de haricots

Cette salade classique composée d'un mélange de haricots est riche en couleur et en saveur.

Préparation : 10 minutes · Repos : 30 minutes · Cuisson : 3 à 4 minutes · Portions : 4

500 g	haricots verts	1 lb
398 ml	haricots rouges en conserve, égouttés	14 oz
398 ml	haricots blancs en conserve, égouttés	14 oz
VINAIGRETTE		
45 ml	huile végétale	3 c. à s.
15 à 30 ml	vinaigre de vin	1 à 2 c. à s.
	sel et poivre fraîchement moulu	
	sucre	
15 ml	mélange de fines herbes hachées	1 c. à s.
1	oignon, haché finement	1

• Parer les haricots verts et couper en morceaux. Faire cuire dans une casserole d'eau bouillante salée de 3 à 4 minutes, jusqu'à ce qu'ils soient tendres. Égoutter complètement et réserver.

• Pour préparer la vinaigrette : dans un bol, à l'aide d'une fourchette, fouetter l'huile végétale, le vinaigre de vin ainsi que du sel, du poivre et du sucre au goût pour obtenir une consistance crémeuse.

• Ajouter les fines herbes et l'oignon hachés à la vinaigrette et bien mélanger.

• Dans un plat de service, mélanger les haricots verts avec les haricots égouttés. Bien incorporer la vinaigrette.

• Laisser reposer la salade pendant au moins 30 minutes avant de servir.

Présentation suggérée : Servir comme plat principal, accompagné de pain croûté.

Pour varier : Remplacer les haricots verts par des fèves fraîches. Remplacer les haricots blancs par des flageolets. Utiliser du vinaigre aux fines herbes pour rehausser la saveur de la salade ou remplacer le vinaigre par du jus de citron.

Salade d'oranges et de dolics à œil noir

Cette appétissante salade, à la saveur délicieusement fraîche, est servie avec du cresson pour lui donner du piquant.

Préparation : 20 minutes · Repos : 1 heure · Cuisson : 1 h 10 (au micro-ondes) · Portions : 4

250 ml	dolics à œil noir séchés	1 tasse
4	feuilles de laurier	4
4	tranches d'oignon	4
	jus et zeste râpé de 2 petites oranges	
60 ml	huile d'olive ou de pépins de raisin	4 c. à s.
8	olives noires, dénoyautées et coupées en quartiers	8
4	oignons verts, hachés	4
30 ml	persil frais haché	2 c. à s.
30 ml	basilic frais haché	2 c. à s.
	sel et poivre fraîchement moulu	
4	oranges entières	4
	cresson	

• Mettre les dolics dans un bol allant au micro-ondes et couvrir d'eau froide.

• Faire cuire au micro-ondes à puissance élevée de 10 à 12 minutes, laisser reposer pendant 1 heure, puis égoutter les dolics et jeter l'eau de cuisson.

• Remettre les dolics dans le bol et couvrir d'eau fraîche. Ajouter le laurier et les oignons.

• Couvrir le bol avec une pellicule de plastique, puis percer la pellicule à plusieurs endroits à l'aide de la lame d'un couteau. Faire cuire à puissance moyenne pendant 1 heure, puis laisser reposer pendant 10 minutes avant d'égoutter complètement. Jeter le laurier et l'oignon.

• Dans un bol, fouetter le jus et le zeste d'orange avec l'huile d'olive à l'aide d'une fourchette.

• Incorporer les olives, les oignons verts, le persil et le basilic à la vinaigrette.

• Ajouter les dolics, saler et poivrer au goût et remuer pour bien enrober les dolics de vinaigrette.

• Peler délicatement les oranges en prenant soin de retirer le plus de peau blanche possible.

• Couper les oranges en quartiers, puis retirer la membrane de chaque quartier ainsi que la peau blanche qui reste.

• Réserver quelques quartiers pour décorer et hacher le reste. Mélanger les quartiers hachés avec la salade de dolics.

• Tapisser un plat de cresson et garnir de salade.

• Décorer de quartiers d'orange réservés et servir immédiatement.

●

Présentation suggérée : Servir dans des pains pitas de blé entier, coupés en deux ou dans des coquilles de taco.

Pour varier : Remplacer les oignons verts par deux branches de céleri. Remplacer l'huile d'olive par de l'huile de noix ou de noisette. Remplacer le basilic par de la ciboulette fraîche.

Soupes

Rasam

Cette soupe de lentilles épicée est l'un des plats traditionnels les plus populaires du sud de l'Inde.

Préparation : 20 minutes · Cuisson : 15 minutes · Portions : 4

15 ml	huile végétale	1 c. à s.
5 ml	graines de moutarde	1 c. à thé
5	piments rouges entiers	5
10	feuilles de curry	10
1	pincée d'ase fétide	1
30 ml	ail écrasé	2 c. à s.
5 ml	curcuma moulu	1 c. à thé
125 ml	lentilles rouges cassées, lavées et nettoyées	½ tasse
2 ou 3	tomates, sans peau et coupées en quartiers	2 ou 3
3 ou 4	grains de poivre noir	3 ou 4
1	piment vert, épépiné et tranché	1
100 g	pulpe de tamarin	3½ oz
	sel	
1 litre	eau	4 tasses

• Faire chauffer l'huile végétale dans une casserole. Y faire cuire les graines de moutarde jusqu'à ce qu'elles commencent à crépiter. Ajouter les piments rouges, les feuilles de curry, l'ase fétide et l'ail écrasé. Faire chauffer, en remuant, pendant quelques secondes.

• Ajouter le curcuma, les lentilles, les tomates, les grains de poivre, le piment vert, la pulpe de tamarin et le sel. Remuer, puis ajouter l'eau.

• Porter à ébullition et laisser mijoter à feu doux, en remuant de temps à autre, jusqu'à ce que les lentilles soient cuites et tendres.

Soupe aux légumes et aux pousses de luzerne

Voici une soupe nutritive qui peut constituer, à elle seule, un repas nourrissant.

Préparation : 10 minutes · Cuisson : 20 minutes · Portions : 4

30 ml	huile d'olive	2 c. à s.
2	gousses d'ail, écrasées	2
2	poivrons rouges, épépinés et tranchés	2
120 à 180 ml	haricots blancs en conserve, égouttés	½ à ¾ tasse
800 ml	bouillon de légumes	3¼ tasse
10 ml	paprika	2 c. à thé
4	poignées de pousses de luzerne ou cresson	4
	brins de fines herbes fraîches, pour décorer	

• Faire chauffer l'huile d'olive dans une casserole et y faire cuire l'ail brièvement, en remuant.

• Ajouter le poivron et faire cuire de 4 à 5 minutes, en remuant de temps à autre.

• Ajouter les haricots et le bouillon de légumes ainsi que le paprika et bien remuer.

• Porter à ébullition, couvrir et faire cuire à feu doux pendant 10 minutes, en remuant de temps à autre.

• Ajouter les pousses de légumes et remuer. Faire cuire brièvement, puis rectifier l'assaisonnement.

• Servir la soupe immédiatement dans des bols chauds et décorer de brins de fines herbes fraîches.

●

Présentation suggérée : Servir avec des petits pains complets ou de blé entier.

Pour varier : Remplacer les haricots blancs par des haricots rouges ou des pois chiches en conserve. Remplacer les poivrons rouges par des poivrons jaunes ou verts. Remplacer l'ail par du gingembre frais râpé.

Rasam

Soupe daal

Cette soupe, consistante et un brin épicée, peut être préparée avec des lentilles rouges ou jaunes.

Préparation : 15 à 20 minutes · Cuisson : 15 minutes · Portions : 6

375 ml	lentilles rouges ou jaunes	1½ tasse
1 litre	eau ou bouillon	4 tasses
4	tomates en conserve, égouttées et écrasées	4
1	piment vert, coupé en 2 dans le sens de la longueur et épépiné	1
30 ml	yogourt nature ou crème sure	2 c. à s.
	sel et poivre fraîchement moulu	
15 ml	beurre	1 c. à s.
1	oignon de taille moyenne, haché ou tranché en rondelles	1
1 ou 2	brins de coriandre fraîche, hachés	1 ou 2

CONSEIL DU CHEF

On peut utiliser un robot culinaire ou un mélangeur pour réduire en purée les lentilles cuites.

• Laver les lentilles en changeant l'eau 4 ou 5 fois. Égoutter complètement et mettre dans une grande casserole avec l'eau.

• Couvrir la casserole et porter à ébullition à feu moyen. Réduire le feu et laisser mijoter de 10 à 15 minutes, ou jusqu'à ce que les lentilles soient tendres. Ajouter de l'eau, s'il y a lieu.

• Retirer la casserole du feu. À l'aide d'un fouet ballon, battre les lentilles pour obtenir une consistance homogène.

• Remettre la casserole sur le feu, ajouter les tomates et le piment et laisser mijoter pendant 2 minutes.

• Retirer la casserole du feu et laisser refroidir quelque peu, puis y incorporer, en fouettant, le yogourt. Faire chauffer la soupe à feu doux, sans la faire bouillir, en remuant souvent. Saler et poivrer.

• Faire fondre le beurre dans une petite poêle et y faire revenir l'oignon à feu doux, en remuant, sans le faire dorer, jusqu'à ce qu'ils soient tendres.

• Retirer le piment de la soupe et le jeter, puis verser la soupe dans des bols chauds. Parsemer de coriandre hachée et d'oignon cuit et servir immédiatement.

Présentation suggérée : Servir avec des tranches de pain de blé entier beurrées ou des petits pains croustillants chauds.

Pour varier : Remplacer les tomates en conserve par des tomates italiennes, sans peau. Remplacer le yogourt ou la crème sure par de la crème à 35 %.

Crème de maïs

Soupe aux légumes et à l'orge

Crème de maïs

Cette soupe somptueuse peut être servie avec du pain croûté ou du pain italien.

Préparation : 10 minutes · Cuisson : 25 à 30 minutes · Portions : 4 à 6

30 ml	huile d'olive	2 c. à s.
6	oignons, tranchés	6
6	épis de maïs	6
1 litre	bouillon de légumes	4 tasses
90 ml	crème à 35 %	6 c. à s.
	poivre noir fraîchement moulu	
	muscade fraîchement moulue, au goût	
	persil frais haché, pour décorer	

• Faire chauffer l'huile d'olive dans une grande casserole et y faire cuire les oignons de 10 à 15 minutes, en remuant de temps à autre, jusqu'à ce qu'ils soient tendres.

• Entre-temps, à l'aide d'un couteau bien aiguisé, couper les grains de maïs de l'épi, en partant d'une extrémité et en descendant jusqu'à l'autre extrémité. Ajouter les grains de maïs aux oignons, verser le bouillon de légumes et remuer. Porter à ébullition, puis réduire le feu. Couvrir et laisser mijoter pendant 10 minutes, en remuant de temps à autre, jusqu'à ce que les grains de maïs soient cuits et tendres.

• Retirer la casserole du feu et laisser quelque peu refroidir, puis au robot culinaire ou au mélangeur, réduire en une purée lisse. Rincer la casserole puis y verser la soupe. Ajouter la crème, le poivre et la muscade et faire chauffer à feu doux, en remuant de temps à autre, jusqu'à ce que la soupe soit chaude. Servir dans des bols chauds et décorer de persil.

Soupe aux légumes et à l'orge

Voici une soupe nourrissante rehaussée de crème sure, à servir avec des galettes d'avoine ou des petits pains croustillants.

Préparation : 20 minutes · Trempage : toute une nuit · Cuisson : 20 à 30 minutes · Portions : 6

125 ml	grains de seigle	½ tasse
125 ml	orge perlé	½ tasse
625 ml	choucroute	2½ tasses
2	poivrons verts, épépinés et tranchés	2
1	poireau, émincé	1
2	branches de céleri, émincées	2
4	tomates fermes, tranchées	4
4	jeunes carottes, émincées	4
10 ml	sel	2 c. à thé
5 ml	graines d'aneth	1 c. à thé
5 ml	estragon frais haché	1 c. à thé
	poivre noir fraîchement moulu	
125 ml	lait	½ tasse
125 ml	crème sure	½ tasse
15 ml	aneth frais haché	1 c. à s.

• Mettre les grains de seigle et l'orge perlé dans un bol et couvrir d'eau froide. Laisser tremper pendant toute la nuit.

• Dans une grande casserole, mettre les légumes préparés, le seigle, l'orge, le liquide de trempage et 500 ml (2 tasses) d'eau. Ajouter le sel, les graines d'aneth, l'estragon et le poivre ; remuer.

• Porter à ébullition, puis couvrir, réduire le feu et laisser mijoter, en remuant de temps à autre, de 20 à 30 minutes, ou jusqu'à ce que les légumes et les grains soient cuits et tendres. Incorporer le lait, la crème sure et l'aneth frais, puis faire chauffer de nouveau à feu doux. Servir dans des bols chauds.

Gaspacho

Gaspacho

L'un des plats espagnols les plus savoureux, cette soupe froide constitue une entrée raffinée.

Préparation : 15 minutes · Portions : 4

500 g	tomates mûres	1 lb
1	petit oignon, haché	1
1	petit poivron vert, épépiné et haché	1
1	gousse d'ail, écrasée	1
¼	concombre de taille moyenne	¼
15 ml	vinaigre de vin rouge	1 c. à s.
15 ml	huile d'olive	1 c. à s.
398 ml	jus de tomate en conserve	14 oz
15 à 30 ml	jus de lime	1 à 2 c. à s.
	sel et poivre fraîchement moulu	
	croûtons, pour décorer	

• Plonger les tomates dans un bol d'eau bouillante pendant 1 minute, puis dans un bol d'eau froide. Retirer la peau et les pépins et les jeter. Réserver la pulpe.

• Au robot culinaire ou au mélangeur, réduire en une purée lisse la pulpe de tomate, l'oignon, le poivron, l'ail, le concombre, le vinaigre de vin, l'huile d'olive et le jus de tomate.

• Ajouter le jus de lime, saler et poivrer, puis bien mélanger.

• Verser la soupe dans un récipient en verre, couvrir et réfrigérer jusqu'au moment de servir.

• Servir dans des bols décorés de croûtons.

●

Présentation suggérée : Servir avec du pain de blé entier légèrement beurré.

Pour varier : Remplacer les tomates par des tomates italiennes ou des tomates jaunes. Remplacer l'oignon par un petit poireau. Remplacer le vinaigre de vin rouge par du vinaigre de cidre.

CONSEIL DU CHEF
●
Si la soupe est trop épaisse, la diluer avec du jus de tomate après avoir ajouté le jus de lime.

Soupe froide de tomates, garnie de crème d'avocat

Voici une délicieuse soupe de tomates fraîches, à déguster l'été en plein air.

Préparation : 20 minutes · Portions : 4

1 kg	tomates mûres	2 lb
3	échalotes, hachées finement	3
75 ml	huile d'olive	⅓ tasse
45 ml	vinaigre de vin	3 c. à s.
	sel et poivre fraîchement moulu	
2	petits avocats	2
2	gousses d'ail, écrasées	2
125 ml	lait	½ tasse
30 ml	jus de citron	2 c. à s.
	sucre	
	brins de menthe fraîche, pour décorer	

• Hacher les tomates, puis les réduire en purée dans un robot culinaire ou un mélangeur. Filtrer à travers un tamis, réserver la pulpe et jeter la peau et les pépins. Mettre la pulpe de tomate dans un bol.

• Bien incorporer les échalotes, l'huile d'olive et le vinaigre de vin. Saler et poivrer ; réserver.

• Pour préparer la crème d'avocat, peler les avocats, en retirer les noyaux, puis trancher la pulpe.

• Dans un bol, mettre les tranches d'avocat, l'ail, le lait, le jus de citron, du sucre et du sel ; bien mélanger.

• Au robot culinaire ou au mélangeur, réduire en une purée lisse la préparation aux avocats.

• Verser la soupe de tomates dans des bols, puis, à l'aide d'une cuillère, déposer de la crème d'avocat au centre.

• Décorer d'un brin de menthe fraîche et servir.

●

Présentation suggérée : Servir avec du pain croûté ou grillé.

Pour varier : Remplacer les tomates par des tomates italiennes. Remplacer le lait par de la crème à 35 %.

Soupe froide de tomates et d'abricots

Cette appétissante soupe, des plus rafraîchissantes, est riche en saveur.

Préparation : 20 minutes, plus le temps de refroidissement et de réfrigération · Cuisson : 10 minutes · Portions : 4

15 ml	beurre	1 c. à s.
3	échalotes, émincées	3
796 ml	tomates en conserve, sans peau	28 oz
	origan frais haché ou marjolaine fraîche hachée	
	sel et poivre fraîchement moulu	
1	bonne pincée de sucre	1
796 ml	abricots en conserve dans du jus	28 oz
125 ml	vin blanc sec	½ tasse
60 ml	eau	4 c. à s.
175 ml	crème à 10 %	¾ tasse
	brins de fines herbes et croûtons, pour décorer	

• Dans une casserole, faire fondre le beurre, puis y faire cuire à feu doux les échalotes, les tomates et l'origan pendant 10 minutes, en remuant de temps à autre. Saler et poivrer pour obtenir une saveur piquante, puis ajouter le sucre.

• Au robot culinaire ou au mélangeur, réduire le mélange en une purée lisse. Laisser refroidir.

• Au robot culinaire ou au mélangeur, réduire en une purée lisse les abricots, le vin, l'eau et la crème.

• Filtrer la purée d'abricot à travers un tamis et jeter la pulpe qui reste dans le tamis.

• Remettre la purée d'abricot dans le robot culinaire ou le mélangeur et bien mélanger avec la purée de tomate refroidie.

• Verser dans un bol et réfrigérer avant de servir.

• Décorer de fines herbes fraîches et de croûtons avant de servir.

●

Présentation suggérée : Servir avec de minces tranches de pain de blé entier.

Pour varier : Remplacer les abricots par des poires ou des pêches. Remplacer le vin par du jus de fruit non sucré, comme du jus d'orange ou de pomme.

CONSEIL DU CHEF

●

Au lieu de mélanger les purées de tomate et d'abricot, faire refroidir séparément, puis verser ensemble en volute dans un bol.

Soupe aux pois cassés

Voici une soupe végétarienne classique, rehaussée d'une volute de yogourt.

Préparation : 10 minutes · Cuisson : 40 minutes · Portions : 6

250 ml	pois cassés	1 tasse
2 litres	bouillon de légumes ou eau avec un cube de bouillon	8 tasses
30 ml	margarine	2 c. à s.
1	gros oignon, haché	1
3	branches de céleri, hachées	3
2	poireaux, émincés	2
2	pommes de terre moyennes, coupées en dés	2
1	carotte de taille moyenne, hachée finement	1
	sel et poivre fraîchement moulu	
	tranches de poireau, pour décorer	

• Dans une casserole, faire cuire les pois cassés dans le bouillon de légumes de 10 à 15 minutes, en remuant de temps à autre.

• Entre-temps, dans une autre casserole, faire fondre la margarine et y faire cuire l'oignon, le céleri et le poireau pendant quelques minutes, en remuant de temps à autre.

• Ajouter les pois cassés, le bouillon de légumes, les pommes de terre et la carotte, puis amener à ébullition.

• Réduire le feu, couvrir et laisser mijoter pendant 30 minutes, en remuant de temps à autre.

• Retirer du feu, laisser quelque peu refroidir, puis réduire en une purée lisse au robot culinaire ou au mélangeur.

• Rincer la casserole, puis y remettre la soupe et faire chauffer de nouveau, en remuant de temps à autre, jusqu'à ce qu'elle soit bien chaude. Saler et poivrer.

• Servir dans des bols chauds. Décorer de tranches de poireau.

Présentation suggérée : Servir avec du pain frais ou des petits pains croustillants.

Pour varier : Remplacer les pois cassés par des lentilles vertes ou brunes. Remplacer les pommes de terre par des patates douces. Remplacer la carotte par un panais.

CONSEIL DU CHEF

Si les légumes sont hachés très finement, on peut servir cette soupe sans la réduire en purée. À défaut d'avoir un robot culinaire ou un mélangeur, on peut passer la soupe à travers un tamis ; par contre, sa texture ne sera pas aussi consistante.

Soupe de fenouil et de noix

Cette combinaison d'ingrédients, inusitée mais délicieuse, est idéale pour une occasion particulière.

Préparation : 15 minutes · Cuisson : 1 heure · Portions : 4

30 ml	huile d'olive ou de tournesol	2 c. à s.
1	petit bulbe de fenouil	1
1	pied de céleri, haché	1
2	oignons, hachés	2
175 ml	noix de Grenoble, écrasées	¾ tasse
1,25 litre	bouillon de légumes, bouillon de haricot ou eau	5 tasses
50 ml	Pernod	¼ tasse
150 ml	crème à 10 %	⅔ tasse
	sel et poivre fraîchement moulu	
	brins de persil frais, pour décorer	

• Dans une casserole, faire chauffer l'huile d'olive et y faire cuire à feu doux le fenouil, le céleri et les oignons pendant 10 minutes, en remuant de temps à autre.

• Ajouter les noix et le bouillon de légumes, puis amener à ébullition. Couvrir et laisser mijoter pendant 45 minutes, en remuant de temps à autre.

• Retirer la casserole du feu, laisser quelque peu refroidir, puis réduire en une purée lisse, au robot culinaire ou au mélangeur.

• Rincer la casserole, puis y remettre la purée. Ajouter le Pernod et la crème. Saler et poivrer, puis bien mélanger.

• Faire chauffer de nouveau à feu doux et servir. Décorer de brins de persil frais.

●

Présentation suggérée : Servir avec d'épaisses tranches de pain croûté ou des petits pains croustillants.

Pour varier : Remplacer les noix de Grenoble par une autre sorte de noix, comme des noix de cajou ou des amandes. Remplacer les oignons par deux poireaux.

CONSEIL DU CHEF

●

Ne pas faire bouillir la soupe après y avoir ajouté le Pernod et la crème, sinon elle risquerait de cailler.

Soupe à l'oignon à la française

Cette soupe est meilleure si elle est préparée la veille, puis réchauffée juste avant d'être servie.

Préparation : 10 minutes · Cuisson : 40 minutes · Portions : 4

2	gros oignons, tranchés et séparés en rondelles	2
30 ml	beurre ou margarine	2 c. à s.
45 ml	farine ou farine de soya	3 c. à s.
1,25 litre	bouillon de légumes bouillant	5 tasses
	sel et poivre fraîchement moulu	
GARNITURE		
4	tranches de baguette, coupées dans le sens de la longueur	4
125 ml	fromage cheddar râpé	½ tasse
50 ml	fromage parmesan râpé	¼ tasse

• Dans une casserole, faire fondre le beurre et y faire revenir les rondelles d'oignon, à feu moyen, jusqu'à ce qu'elles soient bien dorées.

• Ajouter la farine et faire cuire en remuant jusqu'à ce qu'elle soit légèrement dorée.

• Verser graduellement le bouillon de légumes, puis saler et poivrer. Amener à ébullition, en remuant, puis réduire le feu, couvrir et laisser mijoter pendant 30 minutes, en remuant de temps à autre.

• Entre-temps, faire griller le pain des deux côtés.

• Mélanger les fromages, distribuer sur les tranches de pain, puis faire griller jusqu'à ce que le fromage soit fondant et bien doré.

• Garnir le fond de quatre assiettes creuses de tranches de pain au fromage et répartir la soupe entre les assiettes. Servir immédiatement.

●

Présentation suggérée : Servir avec des tranches de pain croûté.

Pour varier : Pour une occasion particulière, ajouter du cognac au bouillon. Remplacer les oignons par quatre poireaux ou douze échalotes. Remplacer le cheddar par du gruyère.

CONSEIL DU CHEF

●

Les oignons doivent être bien dorés afin de donner à la soupe une couleur et une saveur riches.

Soupe aux patates douces

Rien de tel qu'une bonne soupe chaude pour agrémenter les soirées hivernales.

Préparation : 10 minutes · Cuisson : 45 à 60 minutes · Portions : 4

30 ml	beurre ou margarine	2 c. à s.
2	petits oignons, hachés finement	2
500 g	patates douces, coupées en dés	1 lb
300 ml	carottes, coupées en dés	1¼ tasse
15 ml	coriandre fraîche hachée	1 c. à s.
	zeste et jus de 1 citron	
800 ml	bouillon de légumes	3¼ tasses
	poivre noir fraîchement moulu	
	feuilles de coriandre fraîche, pour décorer	

• Dans une casserole, faire fondre le beurre et y faire cuire les oignons, en remuant de temps à autre, jusqu'à ce qu'ils soient translucides.

• Ajouter les patates douces et les carottes et faire suer, à feu doux, de 10 à 15 minutes, en remuant de temps à autre.

• Ajouter la coriandre hachée, le zeste et le jus de citron, le bouillon de légumes et le poivre.

• Couvrir et laisser mijoter de 30 à 40 minutes, en remuant de temps à autre.

• Laisser refroidir quelque peu, puis, au robot culinaire ou au mélangeur, réduire en une purée un peu grossière.

• Rincer la casserole, y verser la soupe et faire réchauffer, en remuant de temps à autre, jusqu'à ce qu'elle soit bien chaude.

• Décorer de feuilles de coriandre fraîche et servir immédiatement.

●

Présentation suggérée : Servir avec des petits pains complets.

Pour varier : Remplacer la coriandre par du persil ou du basilic frais. Remplacer les patates douces par des pommes de terre. Remplacer les oignons par des petits poireaux. Remplacer les carottes par des panais.

CONSEIL DU CHEF

●

La coriandre fraîche se conserve au réfrigérateur dans un contenant d'eau. On peut également la faire congeler.

Entrées
et collations

Pâté de cresson et de champignons

Voici un succulent pâté, vite fait et léger, préparé avec du fromage blanc à faible teneur en matières grasses.

Préparation : 10 minutes · Cuisson : 5 minutes · Portions : 4

45 ml	beurre	3 c. à s.
1	oignon, haché finement	1
250 ml	champignons agarics, hachés finement	1 tasse
1	botte de cresson, haché finement	1
250 ml	fromage blanc à faible teneur en matières grasses	1 tasse
	quelques gouttes de sauce shoyu (sauce soya japonaise)	
2 ml	graines de carvi	½ c. à thé
	poivre fraîchement moulu	
	quartiers de lime, pour décorer	

• Faire fondre le beurre dans une casserole à feu doux, y faire cuire l'oignon, en remuant de temps à autre, sans faire dorer, jusqu'à ce qu'il soit tendre.

• Augmenter le feu, ajouter les champignons et faire cuire pendant 2 minutes, en remuant souvent.

• Ajouter le cresson haché et faire cuire en remuant pendant 30 secondes, jusqu'à ce qu'il ramollisse.

• Verser le contenu de la casserole dans un robot culinaire ou un mélangeur, et ajouter le fromage blanc et la sauce shoyu. Mélanger pour obtenir une consistance lisse.

• Incorporer les graines de carvi et poivrer au goût.

• Verser le pâté dans des ramequins ou un grand plat, couvrir et réfrigérer pendant au moins 2 heures, jusqu'à ce qu'il soit ferme, avant de servir. Décorer de quartiers de lime.

Présentation suggérée : Servir avec de minces tranches de pain brun frais ou grillé légèrement beurrées.

Pour varier : Remplacer les agarics par des champignons sauvages frais. Remplacer le cresson par des feuilles de roquette. Remplacer l'oignon par quatre échalotes.

CONSEIL DU CHEF

Il peut être nécessaire de remuer le contenu du robot culinaire ou du mélangeur plusieurs fois, car le mélange sera assez épais.

Tzatziki

Ce classique des plus rafraîchissants peut être servi comme hors-d'œuvre ou comme collation.

Préparation : 10 minutes · Portions : 4 à 6

2	concombres	2
550 ml	yogourt nature ou crème fraîche	2¼ tasses
1	gousse d'ail, émincée	1
30 ml	menthe fraîche hachée finement	2 c. à s.
	huile d'olive, au goût	
	sel et poivre fraîchement moulu	
	brins de persil frais, pour décorer	

• Couper le concombre en deux dans le sens de la longueur, en retirer les pépins et les jeter, puis couper en petits cubes. Mettre dans un bol.

• Ajouter le yogourt et l'ail et bien mélanger.

• Ajouter la menthe, l'huile d'olive ainsi que le sel et le poivre et bien mélanger.

• À l'aide d'une cuillère, verser dans un plat de service. Décorer de brins de persil frais.

Présentation suggérée : Servir avec du pain pita, des olives noires et des crudités.

Pour varier : Remplacer la menthe par des fines herbes fraîches hachées.

CONSEIL DU CHEF

On peut râper grossièrement le concombre plutôt que de le couper en cubes.

Hummus

Voici un classique savoureux qui peut tout aussi bien être servi comme amuse-gueule que comme collation.

Préparation : 10 minutes · Repos : 1 heure · Portions : 4

250 ml	pois chiches cuits, le liquide de cuisson réservé	1 tasse
60 ml	pâte de sésame (tahini)	4 c. à s.
	jus de 2 citrons	
90 ml	huile d'olive	6 c. à s.
2 à 4	gousses d'ail, écrasées	2 à 4
	sel	
	paprika et quartiers de citron, pour décorer	

• Mettre les pois chiches cuits dans un mélangeur avec 150 ml (⅔ tasse) du liquide de cuisson réservé.

• Ajouter la pâte de sésame, le jus de citron, la moitié de l'huile d'olive, l'ail et le sel.

• Mélanger pour obtenir une consistance lisse. Ajouter un peu de liquide de cuisson si le mélange est trop épais.

• Laisser reposer pendant environ 1 heure afin de permettre aux saveurs de bien se marier.

• Servir dans des assiettes et verser le reste de l'huile d'olive en filet sur le dessus. Parsemer de paprika et décorer de quartiers de citron.

Présentation suggérée : Servir avec du pain pita chaud ou des crudités.

Pour varier : Remplacer le jus de citron par du jus de lime. Remplacer l'huile d'olive nature par de l'huile d'olive aromatisée, aux piments ou aux fines herbes, par exemple.

CONSEIL DU CHEF

Utiliser des pois chiches en conserve égouttés pour ne pas avoir à les faire cuire. Dans ce cas, remplacer le liquide de cuisson des pois chiches par du bouillon de légumes froid.

Tzatziki

Crostinis de champignons à l'ail

Il s'agit d'un mets très rapide et facile à préparer dont la réputation n'est plus à faire.

Préparation : 10 minutes · Cuisson : 10 minutes · Portions : 4

15 ml	beurre ou margarine	1 c. à s.
2 à 4	gousses d'ail, écrasées	2 à 4
1	bonne pincée de thym frais haché	1
1	bonne pincée de sauge fraîche hachée	1
1	bonne pincée de persil frais haché	1
50 ml	vin blanc	¼ tasse
	sel et poivre fraîchement moulu	
1 litre	champignons, nettoyés et coupés en quartiers	4 tasses
8	tranches de baguette de 1cm (½ po) d'épaisseur	8
30 ml	ciboulette fraîche hachée, pour décorer	2 c. à s.

- Faire fondre le beurre dans une casserole à feu doux.

- Ajouter l'ail et faire cuire, sans le faire dorer, de 1 à 2 minutes, ou jusqu'à ce qu'il soit tendre.

- Incorporer les fines herbes hachées, le vin, le sel et le poivre ainsi que les champignons et bien mélanger.

- Couvrir et laisser mijoter, en remuant de temps à autre, pendant 5 minutes, ou jusqu'à ce que les champignons soit cuits mais encore fermes.

- Faire chauffer ou griller légèrement le pain des deux côtés.

- Mettre le pain dans un plat, puis garnir chaque tranche d'une quantité égale de mélange aux champignons.

- Décorer de ciboulette hachée et servir immédiatement.

•

Présentation suggérée : Servir avec des tranches de tomate ou une petite salade.

Pour varier : Remplacer les champignons communs par des champignons sauvages. Remplacer la baguette par des pains ciabattas.

CONSEIL DU CHEF

•

On peut préparer ce plat à l'avance et le faire chauffer juste avant de servir.

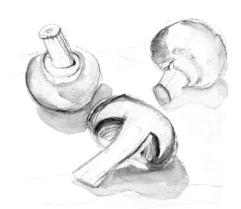

Croustillants au fenouil et à l'orange

La saveur parfumée du fenouil et le goût piquant de l'orange s'unissent dans une succulente garniture servie dans du pain frit croustillant.

Préparation : 15 minutes · Cuisson : 5 minutes · Portions : 4

4	épaisses tranches de pain de blé entier	4
	huile pour la friture	
2	bulbes de fenouil (réserver les feuilles pour décorer)	2
4	oranges	4
20 ml	huile d'olive	4 c. à thé
1	bonne pincée de sel	1
	brins de menthe fraîche, pour décorer	

CONSEIL DU CHEF

●

On peut préparer la garniture à l'avance et la conserver au réfrigérateur. Attendre toutefois le moment de servir avant d'en garnir les moules de pain.

• Enlever les croûtes du pain et les jeter, puis couper la mie en carrés de 7,5 cm (3 po) de côté.

• Creuser le centre des morceaux de pain afin de former des moules de forme régulière.

• Faire chauffer l'huile dans une casserole ou dans une friteuse et faire frire les morceaux de pain jusqu'à ce qu'ils soient bien dorés. Retirer délicatement le pain de l'huile chaude.

• Égoutter complètement sur des essuie-tout. Laisser refroidir.

• Parer le fenouil en prenant soin de réserver les feuilles, puis émincer. Mettre dans un bol.

• Retirer la pelure et la peau blanche des oranges et couper en quartiers. Pour ce faire, se placer au-dessus du bol contenant le fenouil afin de recueillir le jus.

• Mélanger les quartiers d'orange avec le fenouil.

• Ajouter l'huile d'olive et le sel et bien mélanger.

• Juste avant de servir, déposer des quantités égales de garniture de fenouil et d'orange dans chaque moule de pain et décorer de brins de menthe fraîche et de feuilles de fenouil. Servir.

●

Présentation suggérée : Servir avec une salade composée ou une salade de chou.

Pour varier : Remplacer le pain de blé entier par du pain complet blanc ou brun. Remplacer les oranges par deux pamplemousses roses. Remplacer l'huile d'olive par de l'huile de noix ou de noisette.

Mini-pizzas aux légumes

On peut déguster ces succulents hors-d'œuvre aux légumes à toute heure du jour.

Préparation : 20 minutes, plus le temps de pétrissage et de levage · Cuisson : 20 minutes · Portions : 4 à 6

PÂTE

1	sachet de levure sèche active	1
50 ml	eau tiède	¼ tasse
500 ml	farine de blé entier	2 tasses
175 ml	eau tiède	¾ tasse
	sel et poivre fraîchement moulu	
	brins de basilic frais, pour décorer	

GARNITURE

4	tomates, tranchées	4
	basilic frais haché	
	ou	
4	courgettes, tranchées	4
20 ml	huile végétale	4 c. à thé
4	gousses d'ail, écrasées	4
	sauge fraîche hachée ou basilic frais haché	
50 ml	fromage cheddar ou parmesan râpé	¼ tasse

• Pour préparer la pâte : mettre la levure dans un bol et y ajouter 50 ml (¼ tasse) d'eau tiède. Remuer le mélange afin qu'il n'y ait pas de grumeaux. Laisser reposer pendant 5 minutes.

• Tamiser la farine dans un bol, faire un trou au centre de la farine et y ajouter un peu de sel ainsi que le mélange de levure et 175 ml (¾ tasse) d'eau tiède. Mélanger.

• Pétrir pendant environ 5 minutes, pour obtenir une pâte lisse.

• Couvrir et faire lever dans un endroit chaud jusqu'à ce que la pâte ait doublé de volume.

• Abaisser la pâte à environ 1 cm (½ po) d'épaisseur. À l'aide d'un emporte-pièce, couper environ 12 cercles.

• Pour la garniture aux tomates, couvrir les croûtes à pizza de tranches de tomate et de basilic frais, puis saler et poivrer.

• Pour la garniture aux courgettes, dans une casserole, faire revenir les tranches de courgette dans l'huile chaude avec l'ail pendant 5 minutes. Saler et poivrer.

• Déposer les tranches de courgette cuites sur les croûtes à pizza et parsemer de fines herbes hachées et de fromage.

• Préchauffer le four à 200 °C (400 °F).

• Faire cuire les mini-pizzas au four pendant environ 20 minutes, jusqu'à ce qu'elles soient bien dorées. Servir chaud ou froid et décorer de brins de basilic frais.

●

Présentation suggérée : Servir avec de la crème fraîche aromatisée à l'ail ou aux fines herbes ou avec du tzatziki.

Pour varier : Remplacer la farine de blé entier par de la farine blanche. Remplacer le basilic par du persil frais ou de la coriandre fraîche. Remplacer les courgettes par 16 à 24 champignons tranchés.

Bâtonnets de lentilles croustillants

On peut accompagner ces nourrissants hors-d'œuvre végétariens d'un chutney à la menthe pour un repas principal.

Préparation : 45 minutes · Trempage : 4 à 5 heures · Repos : 30 minutes · Cuisson : 25 à 30 minutes · Portions : 4 à 6

250 ml	lentilles jaunes cassées (chana daal)	1 tasse
15 ml	graines de coriandre	1 c. à s.
15 ml	grains de poivre noir	1 c. à s.
10 ml	gingembre frais, pelé et haché	2 c. à thé
15 ml	coriandre fraîche hachée	1 c. à s.
2	piments verts, hachés	2
	sel	
5 ml	chili rouge en poudre	1 c. à thé
5 ml	garam masala	1 c. à thé
	huile végétale, pour la friture	

CONSEIL DU CHEF

●

Manipuler les piments frais avec soin, car ils contiennent des huiles volatiles pouvant irriter et brûler la peau et les yeux. Porter des gants de caoutchouc ou bien se laver les mains après les avoir préparés.

• Faire tremper les lentilles dans de l'eau froide de 4 à 5 heures ou dans de l'eau chaude pendant 30 minutes. Égoutter les lentilles, puis les mettre dans un mélangeur ou un robot culinaire avec les graines de coriandre et les grains de poivre, puis broyer pour obtenir une pâte épaisse.

• Mettre la pâte dans un grand bol, y ajouter le reste des ingrédients, sauf l'huile végétale, et bien mélanger. Laisser reposer pendant 30 minutes.

• Faire chauffer l'huile végétale dans un wok (kadhai) jusqu'à ce qu'elle fume. Les mains mouillées, façonner la préparation en galettes de 10 cm (4 po) de diamètre. Faire frire de 2 à 3 minutes de chaque côté, puis retirer de l'huile et égoutter sur des essuie-tout.

• Trancher les galettes en 3 ou 4 bâtonnets.

• Faire chauffer l'huile de nouveau jusqu'à ce qu'elle fume, réduire le feu à température moyenne et faire frire les bâtonnets jusqu'à ce qu'ils soient croustillants et bien dorés de tous les côtés. Égoutter sur des essuie-tout, puis servir immédiatement.

●

Présentation suggérée : Servir avec un chutney à la menthe.

Beignets de panais

On peut servir ces succulents beignets au déjeuner ou comme collation pour varier.

Préparation : 10 minutes · Cuisson : 5 à 8 minutes par quantité · Portions : 4

250 ml	farine non blanchie	1 tasse
10 ml	poudre à pâte	2 c. à thé
5 ml	sel	1 c. à thé
2 ml	poivre fraîchement moulu	½ c. à thé
1	œuf de taille moyenne	1
150 ml	lait	⅔ tasse
15 ml	beurre fondu	1 c. à s.
3 à 4	panais cuits, coupés en petits dés	3 à 4
	huile ou beurre clarifié, pour la cuisson	

• Dans un bol, tamiser ensemble la farine, la poudre à pâte ainsi que le sel et le poivre.

• Battre l'œuf dans un petit bol et mélanger avec le lait et le beurre fondu.

• Incorporer le mélange d'œuf aux ingrédients secs.

• Incorporer le panais cuit et bien mélanger.

• Diviser le mélange en 16 parts égales et façonner en petits beignets.

• Faire chauffer l'huile ou le beurre clarifié dans une poêle. Y faire cuire les beignets, une petite quantité à la fois et en les retournant de temps à autre, jusqu'à ce qu'ils soient dorés des deux côtés. Servir chaud.

●

Présentation suggérée : Servir avec une sauce au yogourt ou confectionner de plus gros beignets et servir comme plat principal avec une salade.

Pour varier : On peut remplacer le panais par des courgettes, du maïs, des oignons ou des aubergines.

Bâtonnets de lentilles croustillants

Boules aux noix mélangées

On peut préparer ce plat passe-partout à l'avance et le réfrigérer jusqu'au moment de le faire cuire.

Préparation : 20 minutes · Cuisson : 20 à 25 minutes · Portions : 8

150 ml	amandes moulues	⅔ tasse
150 ml	noisettes moulues	⅔ tasse
150 ml	pacanes	⅔ tasse
175 ml	chapelure de pain de blé entier fraîche	¾ tasse
250 ml	fromage cheddar râpé	1 tasse
1	œuf, battu	1
60 à 75 ml	sherry ou 30 ml (2 c. à s.) de lait et 45 ml (3 c. à s.) de sherry	4 à 5 c. à s.
1	petit oignon, haché finement	1
15 ml	gingembre frais râpé	1 c. à s.
15 ml	persil frais haché	1 c. à s.
1	petit piment rouge ou vert, épépiné et haché finement	1
1	poivron rouge, épépiné et coupé en dés	1
5 ml	sel de mer	1 c. à thé
5 ml	poivre fraîchement moulu	1 c. à thé
	tranches de citron ou de lime, pour décorer	

• Dans un bol, mélanger les amandes, les noisettes, les pacanes, la chapelure et le fromage. Réserver.

• Dans un autre bol, mélanger l'œuf battu, le sherry, l'oignon, le gingembre, le persil, le piment et le poivron rouge.

• Incorporer au mélange de noix ; saler et poivrer. Bien mélanger.

• Si la préparation est trop sèche, ajouter un peu de sherry ou de lait.

• Façonner la préparation en petites boules de 2,5 cm (1 po) de diamètre.

• Déposer les boules sur une plaque graissée et faire cuire au four non préchauffé, à 180 °C (350 °F), de 20 à 25 minutes, jusqu'à ce qu'elles soient dorées. Servir chaud ou froid et décorer de tranches de citron ou de lime.

Présentation suggérée : Servir dans des assiettes sur un lit de laitue hachée. Décorer de tranches de citron et offrir une sauce en accompagnement.

Pour varier : Remplacer les pacanes par des noix hachées. Remplacer l'oignon par une échalote. Remplacer le poivron rouge par un poivron jaune ou vert.

Dumplings aux champignons avec épinards à la crème

Voici un plat tout aussi nourrissant qu'inusité de dumplings aux champignons, accompagnés d'une sauce veloutée aux épinards, au quark et à la crème sure.

Préparation : 25 minutes · Cuisson : 30 minutes · Portions : 4 à 6

30 ml	beurre	2 c. à s.
2	oignons, émincés	2
228 ml	champignons en conserve	8 oz
15 ml	cognac	1 c. à s.
2	gousses d'ail, émincées	2
90 ml	persil frais haché	6 c. à s.
300 ml	farine	1¼ tasse
environ 250 ml	lait	environ 1 tasse
125 ml	crème à 35 %	½ tasse
30 ml	échalotes hachées finement	2 c. à s.
15 ml	grains de poivre vert	1 c. à s.
300 g	épinards frais	10½ oz
15 ml	huile d'olive	1 c. à s.
	sel et poivre fraîchement moulu	
300 ml	quark (fromage blanc à faible teneur en matières grasses)	1¼ tasse
150 ml	crème sure	⅔ tasse
	brins de fines herbes fraîches, pour décorer	

• Dans une casserole, faire fondre le beurre et y faire cuire les oignons, en remuant de temps à autre, jusqu'à ce qu'ils soient tendres.

• Égoutter les champignons, hacher finement, puis mettre dans la casserole. Faire cuire pendant 5 minutes, en remuant de temps à autre.

• Ajouter le cognac et une gousse d'ail. Augmenter le feu et faire cuire, en remuant souvent, jusqu'à ce que le liquide ait réduit.

• Incorporer le persil, retirer la casserole du feu et laisser refroidir.

• Dans un bol, mélanger la farine, le lait et la crème, puis incorporer le mélange de champignons, les échalotes et les grains de poivre.

• Façonner des dumplings avec la préparation.

• Faire cuire les dumplings dans une casserole d'eau bouillante salée de 10 à 15 minutes. Égoutter complètement et laisser refroidir.

• Entre-temps, laver les épinards et faire cuire dans une casserole avec l'huile d'olive, sans ajouter d'eau, jusqu'à ce qu'ils aient ramolli. Égoutter complètement et presser avec le dos d'une cuillère pour en retirer tout excédent d'eau. Hacher les épinards cuits.

• Ajouter le reste de l'ail ; saler et poivrer au goût.

• Laisser refroidir les épinards, puis les mélanger avec le quark et la crème sure.

• Servir les dumplings accompagnés d'épinards à la crème. Décorer de brins de fines herbes fraîches.

●

Présentation suggérée : Servir avec une salade composée ou du pain croûté.

Pour varier : Remplacer les épinards par des morceaux de brocoli ; dans ce cas, faire bouillir pendant 5 minutes et bien écraser avant d'ajouter les autres ingrédients. Remplacer les champignons par des grains de maïs en conserve. Remplacer le persil par du basilic frais haché.

Bouchées au fromage et aux poivrons

Ces appétissantes mini-brochettes aux couleurs vives, faites de trois sortes de fromage et de poivrons de différentes couleurs, sont idéales pour un 5 à 7 ou un buffet.

Préparation : 15 minutes · Cuisson : 15 minutes · Portions : 3 à 6

1	poivron jaune	1
1	poivron rouge	1
1	poivron vert	1
15 ml	huile d'olive	1 c. à s.
	sel et poivre fraîchement moulu	
90 g	fromage de chèvre	3 oz
90 g	fromage gorgonzola	3 oz
90 g	fromage gouda ou cheddar	3 oz

• Badigeonner les poivrons d'huile, puis les mettre sur une plaque à pâtisserie.

• Préchauffer le four à 220 °C (425 °F).

• Faire cuire au four pendant environ 15 minutes, en les retournant toutes les 5 minutes, jusqu'à ce que la peau soit brune et fendillée.

• Retirer les poivrons du four, couvrir d'un linge humide et laisser refroidir quelque peu.

• Retirer la peau, les pépins et les cœurs des poivrons et les jeter. Couper la chair en lanières, puis saler et poivrer.

• Couper les fromages en morceaux d'égale grosseur. Mettre le fromage de chèvre sur les lanières de poivron jaune, le gorgonzola sur le poivron vert et le gouda ou le cheddar sur le poivron rouge.

• Enfiler sur des piques ou des brochettes et servir.

Présentation suggérée : Servir avec une salade composée ou du pain croûté.

Pour varier : Remplacer le poivron rouge par une tomate. Dans ce cas, ne pas la faire griller ; simplement épépiner et couper en lanières. Remplacer le gorgonzola par du fromage stilton.

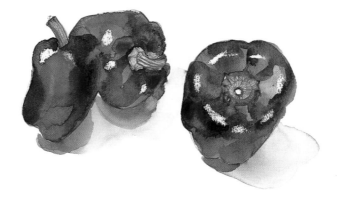

Tomates farcies

Ces hors-d'œuvre, légers mais non moins délicieux, sont faibles en gras et en calories.

Préparation : 10 minutes · Portions : 4

4	grosses tomates	4
60 ml	fromage cottage	4 c. à s.
5 ml	cumin moulu	1 c. à thé
2	poivrons verts, épépinés et coupés en dés	2
	sel et poivre fraîchement moulu	
50 ml	graines de citrouille	¼ tasse
	brins de cresson, pour décorer	

• Trancher le dessus des tomates.

• Retirer les pépins et les jeter, puis tourner les tomates à l'envers pour qu'elles s'égouttent.

• Passer le fromage cottage à travers un tamis pour obtenir une consistance lisse ; ajouter un peu de lait, s'il y a lieu.

• Incorporer le cumin et les poivrons verts ; saler et poivrer.

• Farcir la tomate avec le mélange de fromage.

• Faire griller à sec les graines de citrouille dans une poêle jusqu'à ce qu'elles soient dorées. En parsemer les tomates. Réfrigérer jusqu'au moment de servir.

• Présenter sur un lit de cresson.

●

Présentation suggérée : Servir avec de minces tranches de pain brun légèrement beurrées ou des biscottes.

Pour varier : Remplacer le fromage cottage par du fromage à la crème. Remplacer le cumin par de la coriandre moulue. Remplacer les graines de citrouille par des graines de tournesol ou de sésame.

Pommes de terre farcies au cresson

Voici une façon inusitée mais non moins exquise de servir les pommes de terre.

Préparation : 20 minutes · Cuisson : 30 minutes (micro-ondes) · Portions : 4

4	grosses pommes de terre	4
15 ml	vinaigre	1 c. à s.
	sel	
4	œufs	4
15 ml	beurre	1 c. à s.
250 ml	champignons tranchés	1 tasse
2	échalotes, hachées finement	2
45 ml	margarine	3 c. à s.
60 ml	farine	4 c. à s.
1 ml	moutarde en poudre	¼ c. à thé
1 ml	poivre de Cayenne	¼ c. à thé
	poivre fraîchement moulu	
300 ml	lait	1¼ tasse
125 ml	fromage cheddar râpé	½ tasse
150 ml	lait	⅔ tasse
1	botte de cresson	1
	brins de cresson et fromage râpé, pour décorer	

• Laver les pommes de terre et piquer plusieurs fois à l'aide d'une fourchette. Les faire cuire au micro-ondes à puissance élevée de 10 à 12 minutes. Retirer les pommes de terre du four et les envelopper complètement dans du papier d'aluminium. Laisser reposer pendant 5 minutes.

• Verser 1,25 litre (5 tasses) d'eau chaude dans un grand bol peu profond. Ajouter le vinaigre et 5 ml (1 c. à thé) de sel. Faire chauffer à puissance élevée pendant 5 minutes, ou jusqu'à ce que l'eau bouille.

• Casser les œufs, un à la fois, dans une tasse et les glisser délicatement dans l'eau vinaigrée. Piquer une fois le jaune de chaque œuf à l'aide d'un couteau bien aiguisé ou d'une broche afin qu'ils n'éclatent pas. Faire cuire à puissance moyenne pendant 3 minutes. Remplir un bol d'eau froide. À l'aide d'une écumoire, retirer délicatement chaque œuf du liquide de cuisson et déposer dans l'eau froide.

• Dans un bol peu profond, faire fondre le beurre à puissance élevée pendant 30 secondes. Y ajouter les champignons et les échalotes et bien mélanger. Faire cuire à puissance élevée pendant 1 minute, puis réserver.

• Dans un bol, faire fondre la margarine à puissance élevée pendant 30 secondes. Y incorporer la farine, la moutarde, le poivre de Cayenne ainsi que du sel et du poivre et bien mélanger à l'aide d'une cuillère en

bois pour obtenir un roux. Ajouter 300 ml (1¼ tasse) de lait, en quelques fois, en poursuivant la cuisson pendant 3 minutes au total. Bien remuer après chaque addition de lait pour obtenir une sauce blanche lisse. Incorporer le fromage râpé à la sauce et faire cuire pendant 1 minute, jusqu'à ce que le fromage soit fondu. Réserver.

• Couper une tranche sur le dessus de chacune des pommes de terre. À l'aide d'un couteau à pamplemousse ou d'une cuillère, retirer délicatement la pulpe de chaque pomme de terre, en prenant soin de laisser une quantité suffisante sous la pelure pour que les parois soient fermes. Réserver la pulpe de pomme de terre.

• Déposer une égale quantité de préparation aux champignons et aux échalotes au fond de chaque pomme de terre et garnir d'un œuf bien égoutté. À l'aide d'une cuillère, verser de la sauce au fromage sur chaque œuf.

• Faire chauffer le reste du lait dans un bol allant au micro-ondes. Hacher finement le cresson et réduire la pulpe de pomme de terre en purée. Mélanger le cresson et la purée de pomme de terre, puis incorporer graduellement le lait chaud en remuant avec un fouet jusqu'à ce que le mélange soit homogène et léger.

• Verser le mélange dans les pommes de terre par-dessus la sauce au fromage. Parsemer le dessus de chaque pomme de terre de fromage et faire cuire à puissance élevée de 2 à 3 minutes, jusqu'à ce que le fromage soit fondant et que le tout soit bien chaud. Décorer de brins de cresson et de fromage râpé, puis servir immédiatement.

●

Présentation suggérée : Servir avec une salade de chou maison ou une salade composée.

Courgettes farcies

De la crème de noix de coco et des épices parfumées ajoutent une touche d'exotisme à ce plat végétarien.

Préparation : 20 minutes · Cuisson : 30 à 45 minutes · Portions : 4

4	courgettes de taille moyenne	4
30 ml	huile d'olive	2 c. à s.
2	petits oignons, hachés très finement	2
1	carotte, râpée	1
2 ml	paprika	½ c. à thé
5 ml	graines de cumin	1 c. à thé
2 ml	curcuma	½ c. à thé
2 ml	ase fétide en poudre (optionnel)	½ c. à thé
125 ml	crème de coco	½ tasse
	fines herbes fraîches, pour décorer	

CONSEIL DU CHEF

On trouve la crème de noix de coco dans les épiceries fines, les magasins d'aliments naturels et la plupart des supermarchés. On trouve l'ase fétide en poudre dans les épiceries indiennes.

• Couper les courgettes en deux dans le sens de la longueur.

• À l'aide d'une cuillère à thé, retirer la chair, en prenant soin de laisser des parois d'environ 5 mm (¼ po).

• Hacher finement la chair et réserver.

• Dans une casserole, faire chauffer l'huile d'olive et y faire cuire les oignons pendant quelques minutes, en remuant de temps à autre, jusqu'à ce qu'ils soient tendres.

• Ajouter les carottes, la chair de courgette et les épices et poursuivre la cuisson, en remuant souvent, pendant 5 minutes, jusqu'à ce que les légumes soient tendres.

• Retirer du feu et incorporer la crème de coco.

• Déposer le mélange dans les demi-courgettes, en prenant soin de recouvrir entièrement la partie exposée de la chair.

• Préchauffer le four à 190 °C (375 °F).

• Mettre les demi-courgettes dans un plat graissé allant au four et faire cuire au four de 30 à 45 minutes, jusqu'à ce que les courgettes soient tendres.

• Servir immédiatement et décorer de brins de fines herbes fraîches.

Présentation suggérée : Servir les courgettes telles quelles pour une collation, ou avec une sauce au persil et des pommes de terre nouvelles bouillies pour un repas léger.

Pour varier : Remplacer les oignons par quatre petits poireaux ou quatre échalotes. Remplacer les carottes par des panais.

Crêpes à la provençale

Ces crêpes légères sont farcies d'un appétissant mélange de légumes et de fromage.

Préparation : 15 minutes · Cuisson : 1 heure · Portions : 4

125 ml	farine	½ tasse
	sel	
2	œufs	2
150 ml	lait ou eau	⅔ tasse
30 ml	huile d'olive	2 c. à s.
2	petits oignons, hachés finement	2
2	gousses d'ail, hachées finement	2
2	poivrons verts, épépinés et coupés en dés	2
2	poivrons rouges, épépinés et coupés en dés	2
2	petites courgettes, coupées en dés	2
2	tomates, sans peau, épépinées et hachées finement	2
5 ml	basilic frais haché	1 c. à thé
30 ml	purée de tomate	2 c. à s.
50 ml	fromage cheddar, émietté	¼ tasse
	sel et poivre fraîchement moulu	
	huile végétale, pour la cuisson	
	persil frais, pour décorer	

• Mettre la farine et le sel dans un bol. Faire un trou dans le centre et y casser les œufs.

• À l'aide d'une cuillère de bois, incorporer graduellement la farine aux œufs. Ajouter graduellement le lait et battre vigoureusement pour obtenir une pâte homogène. Réserver.

• Dans une poêle, faire chauffer l'huile d'olive à feu moyen et y faire cuire les oignons et l'ail de 2 à 3 minutes, en remuant souvent, sans faire dorer, jusqu'à ce qu'ils soient tendres.

• Ajouter les poivrons et les courgettes et faire cuire à feu doux pendant environ 10 minutes, en remuant souvent, jusqu'à ce qu'ils soient tendres.

• Ajouter les tomates, le basilic et la purée de tomate et poursuivre la cuisson pendant 5 minutes, en remuant de temps à autre.

• Incorporer le fromage, saler et poivrer, puis poursuivre la cuisson pendant 5 minutes, en remuant de temps à autre. Garder au chaud.

• Pour faire cuire les crêpes : faire chauffer un peu d'huile végétale dans une petite poêle. Y verser la quantité de pâte nécessaire pour former une mince couche au fond de la poêle. Faire cuire de 1 à 2 minutes, jusqu'à ce que la crêpe soit bien dorée.

• Retourner la crêpe et faire cuire l'autre côté jusqu'à ce qu'il soit bien doré. Retirer la crêpe de la poêle et garder au chaud pendant la préparation du reste des crêpes.

• Déposer le mélange de légumes en quantités égales sur chacune des crêpes et étaler délicatement avec le dos d'une cuillère.

• Enrouler chacune des crêpes farcies comme un gâteau roulé et déposer dans un plat allant au four.

• Préchauffer le four à 180 °C (350 °F).

• Faire cuire les crêpes au four pendant 10 minutes, jusqu'à ce qu'elles soient chaudes. Décorer de brins de persil et servir.

Présentation suggérée : Servir avec une salade verte.

Pour varier : Omettre le fromage de la farce et remplacer les crêpes par des pains pitas coupés en deux pour un repas végétalien.

Tranches d'aubergine au yogourt

La cuisson des aubergines selon le mode conventionnel est relativement longue. Par conséquent, elles ont le temps d'absorber beaucoup d'huile. La cuisson au micro-ondes, avec un délicieux mélange d'épices, leur convient parfaitement.

Préparation : 10 minutes · Repos : 30 minutes · Cuisson : 2 à 4 minutes (au micro-ondes) · Portions : 4 à 6

2	aubergines, coupées en rondelles de 5 mm (¼ po) d'épaisseur	2
	sel	
45 ml	huile d'olive	3 c. à s.
5 ml	chili en poudre	1 c. à thé
1 ml	curcuma moulu	¼ c. à thé
5 ml	garam masala	1 c. à thé
1	piment vert frais, épépiné et émincé	1
150 ml	yogourt nature	⅔ tasse
	coriandre fraîche hachée	
	paprika	

• Entailler légèrement les rondelles d'aubergine des deux côtés et parsemer de sel. Mettre dans un tamis au-dessus d'un bol et laisser reposer pendant 30 minutes, pour faire dégorger.

• Rincer les aubergines, égoutter et assécher à l'aide d'essuie-tout.

• Dans un plat allant au micro-ondes, faire chauffer l'huile d'olive à puissance élevée pendant 30 secondes. Incorporer le chili en poudre, le curcuma, le garam masala, le piment et les rondelles d'aubergine.

• Couvrir le plat et faire cuire au micro-ondes à puissance élevée de 2 à 3 minutes.

• Napper de yogourt et laisser reposer de 3 à 5 minutes.

• Parsemer de coriandre hachée et de paprika et servir chaud ou froid.

Présentation suggérée : Servir avec du pain à l'ail ou aux fines herbes, pour un repas léger, ou en accompagnement.

Pour varier : Remplacer le yogourt nature par de la crème sure pour une consistance plus riche et crémeuse.

Légumes au beurre citronné

Voici un plat de légumes légèrement cuits, servis dans une sauce crémeuse au goût piquant.

Préparation : 15 minutes · Cuisson : 10 minutes · Portions : 4

1 kg	légumes mélangés, tels que carottes, pois mange-tout, choux-raves, céleris-raves	2 lb
125 ml	beurre	½ tasse
30 ml	jus de citron	2 c. à s.
	zeste de 2 citrons	
	sel et poivre fraîchement moulu	
125 à 175 ml	crème à 35 %	½ à ⅔ tasse
60 ml	cerfeuil haché ou ciboulette hachée	4 c. à s.

• Peler ou parer les légumes, puis les couper en petits morceaux.

• Mettre les légumes préparés dans une casserole peu profonde, ajouter un peu d'eau et couvrir. Faire cuire pendant environ 10 minutes, en remuant de temps à autre, jusqu'à ce qu'ils soient cuits.

• Entre-temps, dans une casserole, faire fondre le beurre, y ajouter le jus et le zeste de citron ; saler et poivrer, puis verser la crème. Battre vigoureusement.

• Égoutter les légumes et les déposer dans un plat chaud, parsemer de fines herbes hachées et napper de sauce. Servir immédiatement.

Présentation suggérée : Servir avec du pain à l'ail ou aux fines herbes ou avec du riz bouilli.

Pour varier : Utiliser n'importe quel assortiment de légumes. Remplacer le citron par du jus et du zeste de lime ou d'orange. Remplacer la crème à 35 % par de la crème sure.

Cari de légumes

Ce plat se compose d'un assortiment de légumes de saison, cuits dans une sauce épicée aux oignons et aux tomates, à laquelle on ajoute des piments entiers à la fin de la cuisson pour en rehausser la saveur et y ajouter une belle couleur verte.

Préparation : 25 à 30 minutes · Cuisson : 30 minutes · Portions : 4 à 6

60 à 75 ml	huile végétale	4 à 5 c. à s.
1	gros oignon, haché finement	1
1,25 cm	gingembre frais, pelé et émincé	½ po
5 ml	curcuma moulu	1 c. à thé
5 ml	coriandre moulue	1 c. à thé
5 ml	cumin moulu	1 c. à thé
5 ml	paprika	1 c. à thé
4	petites tomates mûres, sans peau et hachées	4
250 ml	pommes de terre, pelées et coupées en dés	1 tasse
175 ml	haricots verts ou haricots nains	¾ tasse
1	carotte, grattée et tranchée	1
175 ml	petits pois, écossés	¾ tasse
2 à 4	piments verts entiers	2 à 4
5 ml	garam masala	1 c. à thé
5 ml	sel	1 c. à thé
15 ml	coriandre fraîche hachée	1 c. à s.

• Dans une grande casserole à fond épais, faire chauffer l'huile végétale à feu moyen et y faire revenir l'oignon de 6 à 7 minutes, en remuant souvent, jusqu'à ce qu'il soit légèrement doré. Ajouter le gingembre et faire revenir en remuant pendant 30 secondes.

• Réduire le feu au minimum, puis ajouter le curcuma, la coriandre, le cumin et le paprika. Bien mélanger.

• Ajouter la moitié des tomates et faire cuire pendant 2 minutes, en remuant sans arrêt.

• Ajouter les pommes de terre, les haricots, la carotte et les petits pois ainsi que 500 ml (2 tasses) d'eau dans la casserole et bien remuer. Porter à ébullition, couvrir et laisser mijoter de 15 à 20 minutes, jusqu'à ce que les légumes soient tendres.

• Ajouter le reste des tomates et les piments verts et remuer. Couvrir et laisser mijoter de 5 à 6 minutes.

• Ajouter le garam masala, le sel et la moitié de la coriandre hachée, bien remuer, puis retirer la casserole du feu.

• Transférer le cari dans un plat chaud et parsemer du reste de la coriandre hachée. Servir immédiatement.

●

Présentation suggérée : Servir avec du pain naan ou des parathas.

Pour varier : Utiliser n'importe quel assortiment de légumes de saison. Remplacer les tomates fraîches par une petite boîte de tomates.

CONSEIL DU CHEF
●

On peut congeler ce plat ; dans ce cas, omettre les pommes de terre. Ajouter des pommes de terre en dés bouillies au moment de réchauffer.

Chou-fleur et chou dans une sauce au fromage et aux noix

Voici une version améliorée des plus délicieuses du modeste chou-fleur au gratin.

Préparation : 15 minutes · Cuisson : 19 minutes (au micro-ondes à puissance élevée) · Portions : 4

1	chou-fleur	1
1	petit chou vert	1
60 ml	beurre	4 c. à s.
125 ml	farine de blé entier	½ tasse
550 ml	lait	2¼ tasses
250 ml	fromage cheddar râpé	1 tasse
125 ml	noix de Grenoble, hachées	½ tasse
	muscade moulue, pour décorer	

• Couper le chou-fleur en bouquets. Émincer grossièrement le chou.

• Mettre le chou-fleur et le chou dans un grand plat allant au micro-ondes avec 125 ml (½ tasse) d'eau. Couvrir d'une pellicule de plastique, puis percer la pellicule à plusieurs endroits à l'aide d'un couteau bien aiguisé.

• Faire cuire les légumes au micro-ondes à puissance élevée pendant 10 minutes, ou jusqu'à ce qu'ils soient cuits, mais légèrement croustillants.

• Dans un autre bol allant au micro-ondes, mélanger le beurre et la farine à l'aide d'une fourchette. Incorporer le lait et faire cuire à puissance élevée pendant 2 minutes.

• Bien remuer la sauce et poursuivre la cuisson à puissance élevée pendant 2 minutes.

• Ajouter le fromage et les noix à la sauce et bien mélanger. Faire cuire à puissance élevée pendant 2 minutes, jusqu'à ce que le fromage soit fondu.

• Égoutter complètement les légumes et transférer dans un plat. Napper de sauce et faire cuire à puissance élevée pendant quelques minutes avant de servir. Parsemer de muscade moulue et servir immédiatement.

Présentation suggérée : Servir avec une salade de tomates et d'oignons.

Pour varier : Remplacer le chou-fleur par du brocoli. Remplacer le chou vert par du chou rouge. Remplacer le cheddar par du fromage bleu.

CONSEIL DU CHEF

Utiliser un fouet pour préparer la sauce afin qu'il ne se forme pas de grumeaux.

Ratatouille

Il s'agit d'une autre savoureuse version du célèbre et toujours appétissant ragoût de légumes méditerranéen. Il est préférable d'utiliser des ingrédients frais de qualité pour de meilleurs résultats.

Préparation : 15 minutes · Cuisson : 50 minutes · Portions : 4

2	petites aubergines	2
	sel	
45 ml	huile d'olive	3 c. à s.
2	oignons, émincés	2
4	gousses d'ail, écrasées	4
2	tomates sans peau	2
2	petites courgettes, tranchées	2
2	petits poivrons rouges, épépinés et tranchés	2
500 ml	champignons tranchés	2 tasses
10 ml	purée de tomate	2 c. à thé
2	feuilles de laurier	2
1	pincée de thym séché	1
1	pincée de romarin séché	1
1	pincée de marjolaine séchée	1
	poivre fraîchement moulu	
	fines herbes fraîches, pour décorer	

CONSEIL DU CHEF

Utiliser la ratatouille pour farcir des poivrons, des aubergines ou des crêpes ou bien pour garnir des pommes de terre au four.

• Trancher l'aubergine, puis mettre les tranches dans une passoire et parsemer de sel. Laisser reposer pendant 10 minutes, puis rincer, égoutter et assécher à l'aide d'essuie-tout.

• Faire chauffer l'huile d'olive dans une casserole. Y ajouter tous les légumes, la purée de tomate, le laurier, les fines herbes séchées et le poivre ; bien mélanger.

• Couvrir la casserole et faire cuire à feu doux, en remuant de temps à autre, pendant environ 50 minutes, ou jusqu'à ce que les légumes soient cuits et tendres. Retirer le laurier et jeter.

• Décorer de brins de fines herbes fraîches et servir.

Présentation suggérée : Servir avec des petites pommes de terre au four ou de gros morceaux de pain croûté.

Pour varier : Remplacer les oignons par quatre poireaux. Remplacer les poivrons rouges par deux poivrons jaunes ou verts. Remplacer les tomates par quatre à six tomates italiennes.

Okras à l'indonésienne

Cet intéressant plat de légumes se compose d'okras, de tomates et d'oignons assaisonnés de persil frais.

Préparation : 15 minutes · Cuisson : 25 minutes · Portions : 4 à 6

1 kg	okras	2 lb
45 ml	vinaigre épicé	3 c. à s.
30 ml	huile d'olive	2 c. à s.
2	oignons, émincés	2
10	tomates, sans peau et hachées	10
	sel et poivre fraîchement moulu	
45 ml	persil frais haché	3 c. à s.
500 ml	bouillon de légumes	2 tasses
	persil frais, pour décorer	

• Couper les extrémités des okras, puis les blanchir dans une casserole d'eau bouillante pendant environ 3 minutes.

• Mettre les okras dans une passoire, asperger de vinaigre, puis égoutter complètement.

• Dans une poêle, faire chauffer l'huile d'olive à feu moyen et y faire cuire les okras et les oignons, en remuant sans arrêt, jusqu'à ce que les okras aient changé de couleur et que les oignons soient tendres.

• Ajouter les tomates, le sel, le poivre et le persil dans la casserole, puis y verser le bouillon.

• Porter à ébullition, couvrir, puis réduire le feu et laisser mijoter de 10 à 15 minutes, en remuant de temps à autre, jusqu'à ce que les légumes soit cuits et tendres.

• Décorer de brins de persil frais et servir chaud.

●

Présentation suggérée : Servir avec des pains ciabattas chauds ou des pommes de terre au four.

Pour varier : Remplacer l'huile d'olive par de l'huile de sésame. Remplacer le persil par du basilic frais.

Grelots à l'ail

Ce plat de pommes de terre que l'on fait revenir dans la poêle avec de l'ail, du thym frais et des oignons verts est tout simplement exquis, servi seul comme collation ou en accompagnement.

Préparation : 10 minutes · Cuisson : 20 à 25 minutes · Portions : 2 à 4

500 g	grelots	1 lb
1	botte d'oignons verts	1
30 ml	huile d'olive	2 c. à s.
10	petites gousses d'ail frais	10
	sel et poivre fraîchement moulu	
15 ml	thym frais haché finement	1 c. à s.

CONSEIL DU CHEF

●

Ne pas trop faire dorer l'ail, sinon il sera amer.

• Brosser les grelots. Enlever les racines ainsi que les tiges vertes des oignons verts et les jeter, puis couper les oignons en deux dans le sens de la longueur.

• Dans une poêle, faire chauffer l'huile d'olive et y faire cuire les grelots, en remuant souvent, jusqu'à ce qu'ils soient légèrement dorés.

• Ajouter les oignons verts et l'ail et faire cuire pendant environ 5 minutes, en remuant de temps à autre.

• Saler et poivrer et parsemer de thym.

• Ajouter un peu d'eau et faire cuire de 10 à 15 minutes, en remuant de temps à autre, jusqu'à ce que les grelots soient cuits et tendres. Servir chaud.

●

Présentation suggérée : Servir en accompagnement avec des légumes grillés ou rôtis, tels que des aubergines, des poivrons et des courgettes.

Pour varier : Remplacer l'huile d'olive par de l'huile de sésame. Remplacer le thym par d'autres fines herbes fraîches, telles que la marjolaine, l'origan ou la ciboulette.

Pommes de terre au cari

Ces pommes de terre épicées peuvent constituer une collation ou un plat d'accompagnement nourrissant.

Préparation : 10 minutes · Cuisson : 25 minutes · Portions : 4

1 kg	pommes de terre	2 lb
	sel	
45 à 60 ml	huile végétale	3 à 4 c. à s.
4	oignons, émincés	4
4 cm	gingembre frais, haché finement	1½ po
4	gousses d'ail, écrasées	4
10 ml	cari en poudre	2 c. à thé
60 ml	graines de sésame	4 c. à s.

• Peler les pommes de terre, les couper en cubes et les saler.

• Dans une casserole, faire chauffer l'huile végétale et y faire revenir les pommes de terre pendant 10 minutes, en les retournant souvent afin qu'elles cuisent uniformément.

• Ajouter les oignons, le gingembre, l'ail et le cari en poudre.

• Ajouter environ 175 ml (¾ tasse) d'eau dans la casserole et bien remuer. Couvrir et faire cuire de 10 à 12 minutes, en remuant de temps à autre, jusqu'à ce que les pommes de terre soient cuites et tendres.

• Goûter, rectifier l'assaisonnement, s'il y a lieu, et servir immédiatement. Parsemer de graines de sésame.

●

Présentation suggérée : Servir avec une salade de légumes râpés.

Pour varier : Remplacer les oignons par quatre poireaux. Remplacer les pommes de terre par des patates douces. Remplacer le cari en poudre par du chili en poudre.

CONSEIL DU CHEF
●

On peut utiliser de la pâte de cari au lieu du cari en poudre.

Plats principaux

Dumplings de farine de pois chiches dans un cari de yogourt

Ce plat végétarien épicé, des plus nourrissants, peut être délicieusement accompagné de riz bouilli.

Préparation : 30 minutes · Cuisson : 1 heure · Portions : 4

375 ml	yogourt nature	1½ tasse
	sel	
5 ml	chili rouge en poudre	1 c. à thé
5 ml	curcuma moulu	1 c. à thé
300 ml	farine de pois chiches	1¼ tasse
1	pincée de bicarbonate de soude	1
2 ml	graines de carom	½ c. à thé
5	piments verts, hachés	5
60 ml	huile d'arachide, plus la quantité nécessaire pour la friture	4 c. à s.
175 ml	pommes de terre, coupées en rondelles	¾ tasse
175 ml	oignons, coupés en rondelles de 5 mm (¼ po) d'épaisseur	¾ tasse
2 ml	graines de cumin	½ c. à thé
1 ml	graines de moutarde	¼ c. à thé
1 ml	graines de fenugrec	¼ c. à thé
4	piments rouges entiers	4

- Dans un bol, fouetter le yogourt, le sel, le chili rouge en poudre, le curcuma et la moitié de la farine de pois chiches. Réserver.

- Tamiser le reste de la farine de pois chiches avec le bicarbonate de soude, y ajouter les graines de carom et la quantité d'eau nécessaire pour obtenir une pâte épaisse. Incorporer les piments verts.

- Dans un wok (kadhai), faire chauffer la quantité nécessaire d'huile pour faire de la friture. Y laisser tomber de grosses cuillerées de pâte pour obtenir des dumplings gonflés de 4 cm (1½ po). Faire frire jusqu'à ce qu'ils soient bien dorés de tous les côtés. Retirer les dumplings du wok et garder au chaud.

- Faire chauffer 45 ml (3 c. à s.) d'huile d'arachide dans une casserole et y ajouter le mélange de yogourt avec 700 ml (2¾ tasses) d'eau. Porter à ébullition, réduire le feu et laisser mijoter de 8 à 10 minutes, en remuant sans arrêt afin que le yogourt ne caille pas.

- Ajouter les pommes de terre et les oignons et faire cuire jusqu'à ce que les pommes de terre soient tendres. Ajouter les dumplings, laisser mijoter pendant 35 minutes, en remuant de temps à autre, puis retirer la casserole du feu et en transférer le contenu dans un bol.

- Faire chauffer le reste de l'huile, soit 15 ml (1 c. à s.), dans une petite casserole. Ajouter les graines de cumin, de moutarde et de fenugrec et faire cuire jusqu'à ce qu'elles crépitent. Ajouter les piments rouges entiers, retirer du feu et verser sur le cari chaud. Servir immédiatement.

Présentation suggérée : Décorer de coriandre fraîche hachée, accompagner de riz brun ou blanc bouilli et servir chaud.

Galettes de céréales

On ne peut résister à ces croustillantes collations délicieusement parfumées au fenouil et servies parsemées de fromage râpé.

Préparation : 15 minutes · Cuisson : 15 minutes · Portions : 2 à 4

375 ml	quark (fromage blanc à faible teneur en matières grasses)	1½ tasse
300 ml	farine de blé entier	1¼ tasse
5 ml	sel	1 c. à thé
	poivre fraîchement moulu, au goût	
	muscade moulue, au goût	
1	botte d'oignons verts, émincés	1
1	bulbe de fenouil	1
300 ml	grains de blé, cuits	1¼ tasse
300 ml	orge perlé, cuit	1¼ tasse
75 ml	graines de tournesol	⅓ tasse
30 ml	margarine	2 c. à s.
175 ml	fromage emmenthal râpé	¾ tasse

• Égoutter complètement le quark. Dans un bol, mélanger le quark, la farine, le sel, le poivre, la muscade, les oignons verts et le fenouil.

• Mélanger les grains de blé, l'orge perlé et les graines de tournesol, puis ajouter à la préparation de quark. Bien mélanger.

• Dans une poêle, faire chauffer la margarine et y ajouter le mélange de grains. Étaler dans le fond de la poêle et faire cuire pendant environ 5 minutes, jusqu'à ce qu'il forme une croûte, puis retourner et faire cuire l'autre côté jusqu'à ce que la croûte soit croustillante.

• À l'aide de deux fourchettes, briser la croûte en morceaux et poursuivre la cuisson pendant 2 minutes. Parsemer de fromage râpé avant de servir.

●

Présentation suggérée : Servir avec une salade mixte ou une salade de poivrons, de tomates et d'oignons.

Pour varier : Remplacer les graines de tournesol par des graines de citrouille. Remplacer la farine de blé entier par de la farine blanche. Remplacer l'emmenthal par du cheddar.

Galettes de pommes de terre croquantes

Voici une façon intéressante de transformer quelques pommes de terre en une délicieuse collation.

Préparation : 10 minutes · Cuisson : 25 minutes · Portions : 4

3	pommes de terre	3
10 ml	beurre	2 c. à thé
	un peu de lait	
175 ml	noix mélangées moulues	¾ tasse
50 ml	graines de tournesol moulues	¼ tasse
2	oignons verts, hachés finement	2
	poivre fraîchement moulu	
	farine de blé entier, pour fariner	
	huile végétale, pour la friture	

• Peler les pommes de terre et les couper en morceaux. Faire cuire dans une casserole d'eau bouillante jusqu'à ce qu'elles soient tendres. Égoutter les pommes de terre, puis les réduire en purée avec le beurre et le lait, pour obtenir une consistance crémeuse.

• Ajouter les noix, les graines de tournesol, les oignons verts et du poivre. Bien mélanger.

• Ajouter un peu de lait, s'il y a lieu, pour obtenir une texture lisse qui se tienne.

• Façonner le mélange en 4 galettes.

• Fariner les galettes et les faire revenir à feu élevé dans un peu d'huile jusqu'à ce qu'elles soient bien dorées des deux côtés.

• Égoutter sur des essuie-tout et servir.

Présentation suggérée : Accompagner d'une salade verte et de tranches de tomate avec une vinaigrette à l'huile et au basilic frais.

Pour varier : Faire griller à sec les graines de tournesol jusqu'à ce qu'elles soient bien dorées avant de les moudre.

Burgers de pois chiches

Servis chaud ou froid, ces burgers sont un délice, le plat idéal pour emporter en pique-nique.

Préparation : 15 minutes · Réfrigération : 1 heure · Cuisson : 10 à 15 minutes · Portions : 4

625 ml	pois chiches cuits ou en conserve, égouttés	2½ tasses
2	petits oignons, hachés finement	2
2	gousses d'ail, écrasées	2
2	pommes de terre de taille moyenne, cuites et réduites en purée	2
30 ml	sauce shoyu (sauce soya japonaise)	2 c. à s.
10 ml	jus de citron	2 c. à thé
	poivre fraîchement moulu	
	farine de blé entier, pour fariner	
	huile végétale, pour la friture	
	brins de persil frais, pour décorer	

• Mettre les pois chiches dans un grand bol et bien les écraser. Ajouter les oignons, l'ail, les pommes de terre en purée, la sauce shoyu, le jus de citron et le poivre. Bien mélanger.

• Les mains farinées, façonner en burgers. Calculer 2 ou 3 cuillerées à soupe de mélanger par burger.

• Fariner tous les burgers, puis les déposer sur une plaque et réfrigérer pendant 1 heure.

• Faire chauffer un peu d'huile végétale dans une poêle et y faire cuire les burgers à feu doux jusqu'à ce qu'ils soient bien dorés des deux côtés. Servir chaud ou froid et décorer de brins de persil frais.

Présentation suggérée : Servir avec une sauce ou une relish épicée et piquante.

Pour varier : Remplacer les pois chiches par des haricots rouges cuits ou en conserve, égouttés. Remplacer les pommes de terre par des patates douces. Remplacer les oignons par deux petits poireaux.

CONSEIL DU CHEF

Faire cuire les burgers, les laisser refroidir, puis les envelopper et les conserver au congélateur jusqu'à 2 mois.

Croquettes aigres-douces

On peut servir ces croquettes aux amandes croquantes avec du riz bouilli ou frit aux œufs.

Préparation : 30 minutes, plus temps de réfrigération · Cuisson : 20 à 25 minutes · Portions : 4

30 ml	beurre	2 c. à s.
1	échalote sèche, pelée et hachée finement	1
30 ml	farine tout usage	2 c. à s.
150 ml	lait	⅔ tasse
75 ml	amandes hachées	⅓ tasse
50 ml	châtaignes d'eau, hachées finement	¼ tasse
5 ml	persil frais haché	1 c. à thé
5 ml	gingembre moulu	1 c. à thé
1	œuf battu	1
	sel et poivre noir fraîchement moulu	
	chapelure sèche	
	graines de sésame	
60 ml	huile d'arachide	4 c. à s.
75 ml	cassonade dorée	⅓ tasse
60 ml	vinaigre	4 c. à s.
30 ml	ketchup	2 c. à s.
30 ml	sauce soya	2 c. à s.
228 ml	ananas en morceaux en conserve (réserver le jus)	8 oz
30 ml	fécule de maïs	2 c. à s.
1	poivron vert, épépiné et tranché	1
2	oignons verts, parés et coupés en diagonale	2
1	petite boîte de pousses de bambou, égouttées	1
250 g	fèves germées	½ lb

• Dans une poêle, faire fondre le beurre et y faire sauter les échalotes à feu vif pendant 1 minute. Saupoudrer de farine et bien mélanger pour former une pâte. Verser le lait graduellement, en battant après chaque addition, jusqu'à ce que la sauce ait épaissi et soit veloutée.

• Incorporer les amandes, les châtaignes d'eau, le persil, le gingembre, et la moitié de l'œuf battu, saler et poivrer, puis bien mélanger pour former une pâte épaisse.

• Mettre la pâte dans un bol et réfrigérer jusqu'à ce qu'elle soit ferme.

• Façonner 16 croquettes.

• Dans une assiette creuse, mélanger la chapelure et les graines de sésame. Badigeonner les croquettes avec le reste d'œuf battu et les passer ensuite dans l'assiette creuse pour bien les enrober de mélange.

• Dans une poêle, faire chauffer de l'huile d'arachide à feu vif et y faire frire les croquettes de 4 à 5 minutes, jusqu'à ce qu'elles soient bien dorées sur toutes les faces. Placer les croquettes sur des essuie-tout et garder au chaud.

• Pour préparer la sauce : dans une casserole, mélanger la cassonade, le vinaigre, le ketchup et la sauce soya. Égoutter le jus des ananas et le verser dans la casserole. Réserver les morceaux d'ananas. Délayer la fécule de maïs dans un peu de sauce et l'incorporer à la sauce. Faire chauffer, à feu moyen-vif, en battant au fouet de 2 à 3 minutes, ou jusqu'à ce que la sauce soit veloutée.

• Ajouter les poivrons, les oignons verts et les pousses de bambou à la sauce. Hacher les morceaux d'ananas et les incorporer à la sauce. Bien mélanger et faire chauffer de 3 à 4 minutes.

• Dresser les fèves germées dans un plat de service et garnir de croquettes. Verser un peu de sauce sur les croquettes et servir le reste en accompagnement.

Présentation suggérée : Servir avec du riz bouilli ou du riz frit aux œufs.

Champignons et tofu au beurre à l'ail

Cet appétissant plat, idéal pour un repas léger, est rapide et facile à préparer.

Préparation : 10 minutes · Cuisson : 10 à 12 minutes · Portions : 4

125 ml	beurre	½ tasse
4	petites gousses d'ail, écrasées	4
2,5 cm	gingembre frais, râpé	1 po
750 ml	champignons de Paris	3 tasses
250 g	tofu fumé (voir *Conseil du chef*, plus bas), coupé en cubes	8 oz
45 ml	persil frais haché	3 c. à s.

• Dans une casserole, faire fondre le beurre et y faire revenir l'ail et le gingembre à feu doux pendant 2 minutes, en remuant de temps à autre.

• Ajouter les champignons et faire cuire à feu doux de 4 à 5 minutes, en remuant de temps à autre, jusqu'à ce qu'ils soient tendres.

• Ajouter le tofu fumé et faire cuire à feu doux, en remuant de temps à autre, jusqu'à ce qu'il soit chaud.

• Verser dans un plat chaud, parsemer de persil haché et servir immédiatement.

Présentation suggérée : Servir avec une baguette ou un petit pain de blé entier croustillant.

Pour varier : Remplacer les champignons par des pointes d'asperge. Utiliser du tofu nature. Remplacer le persil par du basilic frais ou de la coriandre fraîche.

CONSEIL DU CHEF

On peut utiliser du gingembre frais en pot pour réduire quelque peu le temps de préparation.

Salade de tofu fumé

Voici une délicieuse salade-repas qu'il suffit d'accompagner de pain frais.

Préparation : 15 minutes · Portions : 4

500 ml	morceaux de brocoli	2 tasses
375 ml	champignons	1½ tasse
75 ml	ananas en morceaux	⅓ tasse
60 ml	grains de maïs en conserve, égouttés	4 c. à s.
60 ml	vinaigrette à la française (huile et vinaigre)	4 c. à s.
250 g	tofu fumé (voir *Conseil du chef*, ci-contre), coupé en cubes	8 oz

• Couvrir le brocoli d'eau bouillante et laisser reposer pendant 5 minutes. Égoutter et laisser refroidir.

• Émincer les champignons.

• Dans un bol, mélanger le brocoli, les champignons, l'ananas, le maïs et la vinaigrette à la française. Remuer délicatement.

• Mettre la salade dans un plat et y déposer le tofu fumé. Servir immédiatement.

Présentation suggérée : Servir avec des pains ciabattas ou du pain pita chaud.

Pour varier : Omettre le tofu et servir en accompagnement avec une quiche aux légumes. Remplacer le brocoli par des bouquets de chou-fleur. Remplacer l'ananas par de la mangue. Remplacer le maïs par des pois chiches ou des haricots rouges en conserve, rincés et égouttés.

CONSEIL DU CHEF

On peut utiliser du tofu nature. Dans ce cas, le faire mariner pendant quelques heures dans des quantités égales de sauce shoyu (sauce soya japonaise) et d'huile d'olive avec un peu d'ail écrasé et de gingembre frais râpé.

Champignons et tofu au beurre à l'ail

Risotto de boulghour

Voici un risotto très coloré combinant des poivrons rouges et verts, du maïs, des petits pois et des arachides avec du boulghour tendre.

Préparation : 15 minutes · Cuisson : 20 minutes · Portions : 4

250 ml	boulghour	1 tasse
15 ml	beurre	1 c. à s.
2	petits oignons, hachés finement	2
2	branches de céleri, hachées finement	2
2	gousses d'ail, écrasées	2
1	petit poivron rouge, coupé en dés	1
1	petit poivron vert, coupé en dés	1
5 ml	pincée de fines herbes séchées	1 c. à thé
125 ml	arachides hachées	½ tasse
5 ml	concentré de légumes, dissous dans 250 ml (1 tasse) d'eau bouillante	1 c. à thé
10 ml	sauce shoyu (sauce soya japonaise)	2 c. à thé
175 ml	grains de maïs	¾ tasse
175 ml	petits pois congelés	¾ tasse
	sel et poivre fraîchement moulu	
	jus de 1 citron	

- Mettre le boulghour dans un bol et le couvrir d'eau bouillante. Remuer.

- Laisser reposer pendant 10 minutes, ou jusqu'à ce qu'il ait absorbé l'eau et soit bien gonflé.

- Entre-temps, dans une casserole, faire fondre le beurre et y faire cuire l'oignon, le céleri et l'ail quelques minutes, sans faire dorer, en remuant souvent, jusqu'à ce qu'ils soient tendres.

- Ajouter les poivrons, les fines herbes, les arachides et le concentré de légumes dissous dans l'eau.

- Porter à ébullition, réduire le feu et laisser mijoter à feu doux pendant environ 8 minutes, en remuant de temps à autre.

- Ajouter le boulghour, la sauce shoyu, le maïs, les petits pois ainsi que du sel et du poivre au goût et bien mélanger. Poursuivre la cuisson pendant 5 minutes, en remuant de temps à autre.

- Incorporer le jus de citron et transférer dans un plat chaud. Servir immédiatement.

Présentation suggérée : Servir avec une salade verte et du pain pita grillé.

Pour varier : Remplacer le boulghour par du couscous. Remplacer les arachides par des noisettes ou des amandes. Remplacer les petits pois par des petites fèves congelées, ou des pois chiches ou des haricots rouges en conserve, égouttés.

CONSEIL DU CHEF

Si le risotto est trop sec, ajouter un peu d'eau ou de bouillon. Parsemer de fromage parmesan avant de servir.

Orge à l'espagnole

Ce plat aussi savoureux que coloré, cuit au micro-ondes pour plus de facilité, doit sa saveur particulière au paprika. On peut le servir chaud ou froid.

Préparation : 15 minutes · Cuisson : 26 minutes (au micro-ondes à puissance élevée) · Portions : 4

625 ml	orge perlé	2½ tasses
625 ml	bouillon de légumes ou eau	2½ tasses
2	oignons espagnols, pelés et hachés finement	2
2	gousses d'ail, écrasées	2
2	petits poivrons verts, épépinés et hachés	2
15 ml	huile d'olive ou huile végétale	1 c. à s.
5 ml	paprika	1 c. à thé
5 ml	sel	1 c. à thé
750 ml	tomates en conserve, hachées grossièrement	3 tasses
	tranches de tomate et persil frais haché, pour décorer	

• Mettre l'orge perlé dans un bol allant au micro-ondes avec le bouillon de légumes. Faire cuire à puissance élevée pendant 20 minutes. Égoutter l'excédent d'eau et réserver.

• Mettre l'oignon, l'ail et le poivron vert avec l'huile dans un bol allant au micro-ondes. Mélanger, puis faire cuire à puissance élevée pendant 2 minutes. Réserver.

• Mettre l'orge perlé égoutté dans un grand bol allant au micro-ondes. Y incorporer le paprika, le sel et les tomates. Ajouter les légumes réservés et bien mélanger.

• Couvrir le bol avec une pellicule de plastique, puis percer la pellicule à plusieurs endroits à l'aide d'un couteau bien aiguisé.

• Faire cuire à puissance élevée pendant 4 minutes, puis laisser reposer pendant 5 minutes avant de servir, afin de permettre au paprika de dégager toute sa saveur. Servir et décorer de tranches de tomate et de persil haché.

Présentation suggérée : Servir avec une salade de tomates et de basilic et une baguette.

Pour varier : Ajouter 90 g (3 oz) d'olives noires dénoyautées et tranchées et 120 g (4 oz) de fromage cheddar, coupé en cubes, pour un repas lacto-végétarien nourrissant. Remplacer les poivrons verts par deux poivrons rouges ou jaunes.

CONSEIL DU CHEF

Ce plat se conserve très bien au congélateur jusqu'à 3 mois. La saveur du paprika se développera encore plus dans ce cas.

Paella végétarienne

Ce plat, facile à préparer, est riche en couleur et en texture.

Préparation : 15 minutes · Cuisson : 1 heure · Portions : 4 à 6

60 ml	huile d'olive	4 c. à s.
1	gros oignon, haché	1
2	gousses d'ail, écrasées	2
2 ml	paprika	½ c. à thé
375 ml	riz brun à grains longs	1½ tasse
875 ml	bouillon de légumes	3½ tasses
175 ml	vin blanc sec	¾ tasse
398 ml	tomates en conserve, avec le jus, égouttées	14 oz
15 ml	purée de tomate	1 c. à s.
2 ml	estragon séché	½ c. à thé
5 ml	basilic séché	1 c. à thé
5 ml	origan séché	1 c. à thé
1	poivron rouge, épépiné et haché grossièrement	1
1	poivron vert, épépiné et haché grossièrement	1
3	branches de céleri, hachées finement	3
750 ml	champignons, tranchés	3 tasses
125 ml	pois mange-tout, parés et coupés en 2	½ tasse
250 ml	petits pois congelés	1 tasse
125 ml	noix de cajou en morceaux	½ tasse
	sel et poivre fraîchement moulu	
	persil frais haché, morceaux de citron et olives, pour décorer	

- Dans une casserole ou une poêle à paella, faire chauffer l'huile d'olive et y faire revenir l'oignon et l'ail jusqu'à ce qu'ils soient tendres.

- Ajouter le paprika et le riz et poursuivre la cuisson de 4 à 5 minutes, en remuant de temps à autre, jusqu'à ce que le riz soit translucide.

- Ajouter le bouillon de légumes, le vin, les tomates, la purée de tomate et les fines herbes et laisser mijoter de 10 à 15 minutes, en remuant de temps à autre.

- Ajouter les poivrons, le céleri, les champignons et les pois mange-tout et poursuivre la cuisson pendant 30 minutes, en remuant de temps à autre, jusqu'à ce que le riz soit cuit. Ajouter un peu de bouillon, s'il y a lieu.

- Ajouter les petits pois et les noix de cajou, puis saler et poivrer.

- Poursuivre la cuisson jusqu'à ce que les petits pois soient cuits, puis verser dans un grand plat.

- Parsemer de persil et décorer de morceaux de citron et d'olives avant de servir.

Présentation suggérée : Servir avec une baguette et une salade verte.

Pour varier : Utiliser un mélange de riz brun et de riz sauvage. Remplacer le vin blanc par du jus de pomme non sucré. Remplacer les champignons par des champignons sauvages frais.

CONSEIL DU CHEF

Pour préparer à l'avance, interrompre la cuisson un peu avant la fin. Ajouter un peu de bouillon ou d'eau avant de terminer la cuisson. N'ajouter les petits pois qu'au moment de servir, sinon ils perdront leur couleur.

Lentilles rouges aux légumes

Cette savoureuse combinaison de lentilles rouges et de légumes constitue un plat nourrissant et réconfortant.

Préparation : 15 minutes · Trempage : 1 nuit · Cuisson : 45 à 60 minutes · Portions : 4

425 ml	lentilles rouges	1¾ tasse
30 ml	huile d'olive	2 c. à s.
2	gousses d'ail, écrasées	2
1	oignon, coupé en petits morceaux	1
1	carotte, coupée en petits morceaux	1
1	poireau, coupé en petits morceaux	1
1	branche de céleri, coupée en petits morceaux	1
30 à 45 ml	purée de tomate	2 à 3 c. à s.
550 ml	bouillon de légumes	2¼ tasses
30 ml	vinaigre de vin blanc	2 c. à s.
1	brin de thym frais	1
	sel et poivre fraîchement moulu	
1	pincée de poivre de Cayenne	1
30 ml	miel	2 c. à s.
1	botte de ciboulette fraîche	1
	tranches de poireau, pour décorer	

• Bien laver les lentilles sous l'eau froide, puis égoutter complètement. Mettre dans un bol, couvrir d'eau et faire tremper toute la nuit.

• Dans une casserole, faire chauffer l'huile d'olive et y faire cuire l'ail jusqu'à ce qu'il soit tendre. Ajouter l'oignon, la carotte, le poireau et le céleri, puis faire cuire brièvement, en remuant.

• Incorporer la purée de tomate et le bouillon de légumes, puis porter à ébullition.

• Égoutter complètement les lentilles, les mettre dans la casserole et bien remuer. Couvrir et laisser mijoter de 30 à 40 minutes, en remuant de temps à autre, jusqu'à ce que les légumes soient presque cuits et tendres.

• Incorporer le vinaigre de vin et le thym. Assaisonner de sel, de poivre noir et de poivre de Cayenne, puis incorporer le miel.

• Poursuivre la cuisson à feu moyen de 10 à 15 minutes, en remuant de temps à autre.

• Entre-temps, hacher finement la ciboulette, en prenant soin de conserver quelques tiges entières.

• Lorsque le plat est cuit, rectifier l'assaisonnement et servir. Parsemer de ciboulette hachée. Décorer de tranches de poireau et de tiges de ciboulette fraîche.

Présentation suggérée : Servir avec une baguette et une salade verte ou des légumes frais cuits, tels que du brocoli et des carottes.

Pour varier : Remplacer les lentilles rouges par des lentilles vertes ou brunes. Remplacer le poivre de Cayenne par du chili en poudre. Remplacer la ciboulette par du persil ou du basilic frais.

Casserole de haricots

Voici un plat épicé et consistant des plus nourrissants.

Préparation : 20 minutes · Cuisson : 30 minutes · Portions : 4

45 ml	huile végétale	3 c. à s.
2	cubes de bouillon de légumes, émiettés	2
3	oignons, hachés	3
3	pommes, pelées et râpées	3
3	carottes, râpées	3
60 ml	purée de tomate	4 c. à s.
20 ml	vinaigre de vin blanc	4 c. à thé
10 ml	moutarde sèche	2 c. à thé
2 ml	origan séché	½ c. à thé
2 ml	cumin moulu	½ c. à thé
10 ml	cassonade	2 c. à thé
	sel et poivre fraîchement moulu	
750 ml	haricots rouges cuits	3 tasses
	un peu de crème sure	

CONSEIL DU CHEF

On peut utiliser des haricots rouges en conserve pour la préparation de ce plat; on évite ainsi de devoir les faire cuire au préalable.

• Dans une poêle à revêtement anti-adhésif, faire chauffer l'huile végétale et y ajouter les cubes de bouillon émiettés, les oignons, les pommes et les carottes. Faire cuire à feu doux pendant 5 minutes, en remuant sans arrêt.

• Dans un bol, mélanger la purée de tomate avec 300 ml (1¼ tasse) d'eau et incorporer aux autres ingrédients dans la poêle.

• Ajouter le reste des ingrédients, sauf les haricots et la crème sure.

• Bien remuer, couvrir et laisser mijoter pendant 2 minutes.

• Ajouter les haricots, mélanger, puis transférer dans une cocotte.

• Préchauffer le four à 180 °C (350 °F).

• Couvrir et faire cuire au four pendant environ 30 minutes.

• Ajouter un peu d'eau après 20 minutes, s'il y a lieu.

• Garnir d'une volute de crème sure et servir immédiatement.

Présentation suggérée : Servir avec une salade composée et du pain croûté, du riz bouilli ou des pommes de terre au four.

Pour varier : Remplacer le vinaigre de vin blanc par du vinaigre de cidre. Remplacer les oignons par deux poireaux. Remplacer les haricots rouges par une autre sorte de légumineuses, comme des flageolets ou des dolics à œil noir.

Haricots rouges à la créole

Il s'agit d'un appétissant plat de haricots et de riz légèrement relevé. On peut faire cuire les haricots secs au micro-ondes, on évite ainsi de devoir les faire tremper toute la nuit.

Préparation : 20 minutes · Cuisson : 1 heure 26 minutes (au micro-ondes) · Portions : 4

175 ml	haricots rouges secs	¾ tasse
2	feuilles de laurier	2
	sel et poivre fraîchement moulu	
400 ml	riz brun ou blanc à grains longs	1⅔ tasse
30 ml	beurre ou margarine	2 c. à s.
2	poivrons verts, épépinés et coupés en lamelles	2
250 ml	champignons tranchés	1 tasse
1	pincée de poivre de Cayenne	1
1	pincée de muscade moulue	1
4	tomates, sans peau, épépinées et coupées en lanières	4
4	oignons verts, hachés	4
30 ml	persil frais haché, pour décorer	2 c. à s.

• Mettre les haricots dans un grand bol allant au micro-ondes et les couvrir d'eau. Faire cuire au micro-ondes à puissance élevée pendant 10 minutes. Laisser reposer pendant 1 heure, puis égoutter et jeter le liquide.

• Remettre les haricots dans le bol et y ajouter le laurier, un peu de sel et de poivre et la quantité nécessaire d'eau fraîche pour les couvrir.

• Couvrir le bol d'une pellicule de plastique, puis percer la pellicule à plusieurs endroits à l'aide d'un couteau bien aiguisé. Faire cuire les haricots à puissance moyenne pendant 1 heure, puis laisser reposer pendant 10 minutes avant d'égoutter complètement. Réserver.

• Mettre le riz dans un autre bol allant au micro-ondes avec un peu de sel. Verser 625 ml (2½ tasses) d'eau froide. Faire cuire le riz à puissance élevée pendant 10 minutes. Laisser reposer pendant 5 minutes, puis égoutter et rincer sous l'eau froide. Réserver.

• Mettre le beurre ou la margarine dans un bol allant au micro-ondes et faire chauffer pendant 30 secondes à puissance élevée, jusqu'à ce qu'il soit fondu.

• Ajouter les poivrons et les champignons et bien remuer afin de les enrober complètement, puis faire cuire à puissance élevée pendant 2 minutes.

• Remuer les poivrons et les champignons, puis ajouter le poivre de Cayenne, la muscade, le riz cuit et les haricots.

• Bien remuer, puis faire cuire à puissance élevée pendant 3 minutes, en remuant une fois au cours de la cuisson.

• Incorporer les tomates et les oignons verts et poursuivre la cuisson à puissance élevée pendant 1 minute avant de servir. Décorer de persil haché.

Présentation suggérée : Servir avec du pain aux fines herbes ou des légumes grillés.

Pour varier : Remplacer les haricots rouges par des dolics à œil noir ou des flageolets.

CONSEIL DU CHEF

Utiliser 341 ml (12 oz) de haricots en conserve, égouttés et omettre les étapes 1 à 3.

Chana masala

Ce plat peut être servi chaud comme repas principal, ou froid comme accompagnement avec un pain aux noix.

Préparation : 15 minutes · Cuisson : 30 minutes · Portions : 4

30 ml	beurre clarifié ou ghee	2 c. à s.
1	gros oignon, haché	1
3	gousses d'ail, écrasées	3
2,5 cm	gingembre frais, haché finement	1 po
15 ml	coriandre moulue	1 c. à s.
10 ml	graines de cumin	2 c. à thé
1	pincée de poivre de Cayenne	1
5 ml	curcuma	1 c. à thé
10 ml	graines de cumin grillées, moulues	2 c. à thé
20 ml	mangue en poudre (amchur) ou jus de citron	4 c. à thé
10 ml	paprika	2 c. à thé
398 ml	tomates en conserve	14 oz
875 ml	pois chiches cuits	3½ tasses
5 ml	garam masala	1 c. à thé
	sel	
2	petits piments verts frais, hachés finement	2

• Dans une casserole, faire chauffer le beurre clarifié ou le ghee, et y faire cuire les oignons, l'ail et le gingembre, en remuant de temps à autre, jusqu'à ce qu'ils soient tendres.

• Ajouter les épices, sauf le garam masala, et faire cuire à feu doux de 1 à 2 minutes, en remuant sans arrêt.

• Ajouter les tomates, hachées grossièrement, avec leur jus, ainsi que les pois chiches cuits ; bien remuer.

• Faire cuire à feu moyen pendant 30 minutes, en remuant de temps à autre.

• Ajouter le garam masala, le sel et les piments, bien remuer et servir immédiatement.

Présentation suggérée : Servir chaud avec du riz bouilli ou du riz pilaf et un chutney à la mangue. Ce plat est plus savoureux servi le lendemain.

Pour varier : On peut ajouter à ce plat, au début de la cuisson, des légumes coupés en petits morceaux, tels que des pommes de terre, des tomates fraîches ou du chou-fleur. Remplacer les pois chiches cuits par des haricots rouges ou des flageolets cuits.

CONSEIL DU CHEF

Faire griller les épices à feu doux pour ne pas qu'elles brûlent.

Chili éclair aux légumes

Ce populaire plat épicé est toujours un régal.

Préparation : 10 minutes · Cuisson : 25 à 30 minutes · Portions : 4

15 ml	huile d'olive	1 c. à s.
2	oignons, tranchés	2
2	gousses d'ail, écrasées	2
2 ml	chili en poudre	½ c. à thé
398 ml	tomates en conserve, hachées	14 oz
398 ml	haricots rouges cuits	14 oz
1	petit poivron rouge, épépiné et haché grossièrement	1
1	courgette de taille moyenne, coupée en morceaux	1
250 ml	bouquets de chou-fleur	1 tasse
4	petites carottes, hachées grossièrement	4
10 ml	purée de tomate	2 c. à thé
1	pincée de basilic séché	1
1	pincée d'origan séché	1
300 ml	bouillon de légumes	1¼ tasse
	fines herbes fraîches, pour décorer	

• Dans une casserole, faire chauffer l'huile d'olive et y faire cuire les oignons, en remuant de temps à autre, jusqu'à ce qu'ils soient tendres.

• Ajouter l'ail et faire cuire à feu doux, en remuant, pendant 1 minute.

• Ajouter le chili en poudre et poursuivre la cuisson à feu doux pendant 1 minute.

• Ajouter le reste des ingrédients, sauf les fines herbes pour décorer, bien mélanger et laisser mijoter de 25 à 30 minutes, en remuant de temps à autre.

• Servir immédiatement et décorer de brins de fines herbes fraîches.

●

Présentation suggérée : Servir avec du riz brun ou blanc bouilli, du couscous ou du boulghour.

Pour varier : Remplacer le chou-fleur par du brocoli ou des champignons tranchés. Remplacer les oignons par quatre poireaux.

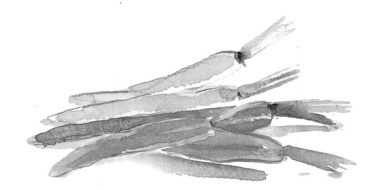

Cari de champignons

Ce savoureux cari aromatisé à la crème de noix de coco, rapide et facile à préparer, est idéal pour un dîner vite fait.

Préparation : 15 minutes · Cuisson : 20 minutes · Portions : 4

45 ml	huile de tournesol	3 c. à s.
500 g	poireaux, émincés	1 lb
4	gousses d'ail, écrasées	4
5 ml	gingembre frais râpé	1 c. à thé
20 ml	cari en poudre	4 c. à thé
10 ml	garam masala	2 c. à thé
1 kg	champignons, coupés en quartiers	2 lb
175 ml	crème de coco	¾ tasse
30 ml	jus de citron	2 c. à s.
	sel et poivre fraîchement moulu	
	fines herbes fraîches, pour décorer	

• Dans une casserole, faire chauffer l'huile de tournesol et y faire revenir les poireaux, l'ail, le gingembre, le cari et le garam masala, en remuant souvent, jusqu'à ce que les poireaux soient tendres.

• Ajouter les champignons et faire cuire à feu doux, en remuant de temps à autre, jusqu'à ce qu'ils soient tendres.

• Ajouter la crème de coco et faire cuire à feu doux jusqu'à ce qu'elle soit complètement dissoute. Ajouter un peu d'eau si le mélange semble être trop sec.

• Incorporer le jus de citron, puis saler et poivrer. Servir chaud et décorer de brins de fines herbes fraîches.

Présentation suggérée : Servir avec du riz bouilli et une salade de tomates et d'oignons.

Pour varier : Remplacer les poireaux par des oignons ou des échalotes. Remplacer le jus de citron par du jus de lime.

Plats principaux
avec pâtes

Spaghettis aux noix de pin

Ce plat croquant et savoureux se prépare avec des ingrédients que l'on a souvent en réserve dans le garde-manger.

Préparation : 15 minutes · Cuisson : 25 minutes · Portions : 4

350 g	spaghettis	12 oz
15 ml	huile de tournesol	1 c. à s.
90 ml	huile d'olive	6 c. à s.
1	gros oignon, tranché	1
1	gousse d'ail, écrasée	1
50 ml	persil frais haché	¼ tasse
250 ml	noix de pin	1 tasse
398 ml	cœurs d'artichaut en conserve, égouttés et hachés	14 oz
	sel et poivre fraîchement moulu	
125 ml	fromage cheddar râpé (facultatif)	½ tasse

• Faire cuire les pâtes dans une grande casserole d'eau bouillante salée avec l'huile de tournesol de 8 à 12 minutes, ou jusqu'à ce qu'elles soient *al dente*. Égoutter et garder au chaud.

• Dans une poêle, faire chauffer l'huile d'olive et y faire cuire l'oignon et l'ail pendant 5 minutes, en remuant de temps à autre.

• Ajouter le persil, les noix de pin et les artichauts et faire cuire pendant 5 minutes, en remuant de temps à autre.

• Incorporer les pâtes cuites et faire réchauffer à feu doux, en remuant de temps à autre. Saler et poivrer.

• Incorporer le fromage râpé, s'il y a lieu, et servir immédiatement.

Présentation suggérée : Servir avec une salade verte.

Pour varier : Remplacer les spaghettis par des tagliatelles ou des fettuccine.
Remplacer le cheddar par du parmesan.
Remplacer le persil par du basilic.

Nouilles chinoises aux légumes

Voici un plat végétarien oriental composé de nouilles chinoises, de pousses de bambou, de champignons noirs et de concombre dans une légère sauce, faite d'une réduction des liquides de cuisson.

Préparation : 40 minutes · Cuisson : 20 minutes · Portions : 4 à 6

30 ml	champignons noirs chinois séchés	2 c. à s.
250 g	pousses de bambou	8 oz
125 g	fèves germées	4 oz
420 g	nouilles chinoises	14 oz
45 ml	huile d'olive	3 c. à s.
2,5 cm	gingembre frais, pelé et haché finement	1 po
1	gousse d'ail, hachée finement	1
1	petit piment	1
2	carottes, pelées et taillées en allumettes	2
75 ml	sauce soya	5 c. à s.
15 ml	miel	1 c. à s.
¼	concombre, pelé et taillé en allumettes	¼
	sel et poivre fraîchement moulu	
	ciboulette fraîche hachée, pour décorer	

• Mettre les champignons dans un bol, couvrir d'eau chaude et faire tremper pendant 15 minutes. Couper les pieds, puis faire bouillir les champignons dans une casserole pendant 5 minutes.

• Égoutter les champignons, les presser pour en retirer l'eau complètement et les tailler en allumettes. Réserver.

• Parer les pousses de bambou, les couper en tranches, puis tailler en allumettes. Blanchir dans une casserole d'eau bouillante pendant 2 minutes. Laisser égoutter complètement.

• Parer et laver les fèves germées. Blanchir dans une casserole d'eau bouillante pendant 1 minute. Plonger dans l'eau froide et laisser égoutter complètement.

• Faire cuire les nouilles chinoises dans une casserole d'eau bouillante salée pendant quelques minutes, selon les directives sur l'emballage. Égoutter, rincer et laisser égoutter complètement.

• Dans une poêle, faire chauffer l'huile d'olive et y faire revenir le gingembre, l'ail et le piment, en remuant, pendant 30 secondes.

• Ajouter les pousses de bambou, les champignons et les carottes. Faire revenir pendant 4 minutes, puis ajouter les fèves germées. Poursuivre la cuisson pendant 2 minutes, en remuant de temps à autre.

• Ajouter les nouilles, la sauce soya et le miel. Faire cuire, en remuant, jusqu'à ce que le tout soit bien chaud.

• Ajouter le concombre, saler et poivrer et faire cuire pendant 1 minute. Retirer le piment et le jeter. Décorer de ciboulette fraîche et servir immédiatement.

Présentation suggérée : Servir avec du pain croûté ou des petits pains croustillants.

Pour varier : Remplacer les fèves germées par des courgettes tranchées. Remplacer les carottes par des panais.

Pâtes à la sauce au basilic frais

Il s'agit de pâtes servies avec une sauce au basilic frais, faite de feuilles de basilic pilées avec de l'ail, du parmesan et de l'huile d'olive, à l'aide d'un pilon et d'un mortier.

Préparation : 25 minutes · Cuisson : 8 minutes · Portions : 4

500 g	pâtes fraîches	1 lb
20	feuilles de basilic frais	20
1	gousse d'ail	1
30 ml	fromage parmesan frais râpé	2 c. à s.
50 ml	huile d'olive	¼ tasse
30 ml	beurre	2 c. à s.
	sel et poivre fraîchement moulu	
	basilic frais, pour décorer	

• Faire cuire les pâtes dans de l'eau bouillante salée. Égoutter, rincer, puis laisser égoutter complètement.

• À l'aide d'un pilon et d'un mortier, piler les feuilles de basilic, puis ajouter l'ail et continuer à piler jusqu'à ce que le tout soit bien mélangé.

• Ajouter le fromage parmesan et continuer à piler.

• Transférer la préparation dans un grand bol, fouetter avec l'huile d'olive, puis réserver.

• Mettre les pâtes cuites dans une grande casserole, ajouter le beurre et mélanger. Mettre la casserole sur un feu doux et ajouter la sauce au basilic. Saler et poivrer et faire réchauffer, en remuant sans arrêt avec une cuillère de bois. Servir les pâtes chaudes, décorées de brins de basilic frais.

●

Présentation suggérée : Servir avec une salade verte et des tranches de pain ciabatta.

Pour varier : On peut préparer la sauce dans un robot culinaire ; dans ce cas, y mettre tous les ingrédients en même temps et réduire en une sauce lisse. Le temps de préparation se trouve ainsi réduit d'environ 3 minutes. Parsemer les pâtes d'une poignée de noix de pin avant de servir.

Spaghettis à la sauce aux courgettes

Voici un savoureux plat végétarien, tout ce qu'il y a de plus rapide et facile à préparer.

Préparation : 20 minutes · Cuisson : 15 minutes · Portions : 2 à 4

300 g	spaghettis	10 oz
75 ml	huile d'olive	5 c. à s.
1	oignon	1
2	gousses d'ail	2
500 g	courgettes	1 lb
30 ml	fines herbes fraîches hachées	2 c. à s.
125 ml	crème à 35 %	½ tasse
	sel et poivre fraîchement moulu	
1	tomate coupée en morceaux	1

• Dans une casserole d'eau bouillante salée, faire cuire les spaghettis avec 15 ml (1 c. à s.) d'huile d'olive, en remuant de temps à autre à l'aide d'une fourchette, de 8 à 10 minutes, ou jusqu'à ce qu'elles soient *al dente*. Égoutter complètement et garder au chaud.

• Entre-temps, pour la sauce aux courgettes, peler et émincer l'oignon et l'ail, puis couper les courgettes en lanières.

• Dans une poêle, faire chauffer le reste de l'huile d'olive et y faire cuire l'oignon, l'ail et les courgettes pendant environ 3 minutes, en remuant de temps à autre.

• Ajouter les fines herbes et laisser mijoter pendant 1 minute avant d'ajouter la crème ainsi que le sel et le poivre.

• Ajouter la tomate et faire chauffer, en remuant de temps à autre, jusqu'à ce que le tout soit bien chaud.

• Servir les spaghettis chauds, nappés de sauce aux courgettes.

Présentation suggérée : Servir avec d'épaisses tranches de pain de blé entier frais.

Pour varier : Remplacer l'oignon par deux poireaux. Remplacer la totalité ou la moitié des courgettes par des champignons. Remplacer la tomate par deux tomates italiennes. Parsemer de fromage parmesan ou cheddar râpé juste avant de servir.

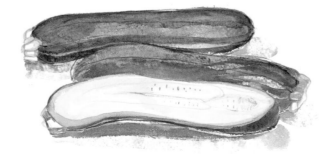

Conchiglie aux deux sauces

Cet appétissant plat de pâtes présente deux sauces aux légumes de couleurs contrastantes, l'une aux tomates et l'autre aux champignons, dans un même plat.

Préparation : 20 minutes · Cuisson : 30 minutes · Portions : 4

SAUCE AUX TOMATES

1	gros oignon, haché très finement	1
5 ml	bouillon de légumes en poudre	1 c. à thé
1	gousse d'ail, écrasée	1
2 ml	thym séché	½ c. à thé
1	pincée de romarin séché	1
398 ml	tomates en conserve	14 oz

SAUCE AUX CHAMPIGNONS

250 g	pleurotes	8 oz
30 ml	beurre	2 c. à s.
1	cube de bouillon de légumes	1
60 ml	quark ou fromage frais	4 c. à s.
500 g	conchiglie cuites (pâtes en forme de coquille), chaudes	1 lb
	persil frais haché, pour décorer	

CONSEIL DU CHEF

On peut préparer les sauces à l'avance, les conserver au réfrigérateur et les faire chauffer au moment de servir.

• Pour préparer la sauce aux tomates : mettre l'oignon, le bouillon en poudre, 45 ml (3 c. à s.) d'eau et l'ail dans une casserole et faire cuire à feu doux, en remuant de temps à autre, de 7 à 10 minutes, ou jusqu'à ce que l'oignon soit tendre.

• Ajouter le thym et le romarin et faire cuire, en remuant, pendant 1 minute.

• Hacher les tomates et les mettre dans la casserole avec leur jus.

• Porter à ébullition et faire bouillir à feu élevé, en remuant de temps à autre, jusqu'à ce que la sauce ait réduit et épaissi.

• Entre-temps, préparer la sauce aux champignons. Hacher finement les champignons. Dans une casserole, faire fondre le beurre et y ajouter les champignons et le cube de bouillon.

• Laisser mijoter à feu doux de 10 à 15 minutes, en remuant de temps à autre. Retirer la casserole du feu et incorporer le quark. Faire cuire à feu doux, sans faire bouillir, jusqu'à ce que le tout soit bien chaud.

• Répartir les pâtes entre quatre assiettes et napper un côté de sauce aux tomates et l'autre de sauce aux champignons.

• Parsemer les deux sauces de persil frais et servir immédiatement.

Présentation suggérée : Servir avec une salade de juliennes de légumes et des petits pains croustillants.

Pour varier : Remplacer les pleurotes par des champignons de Paris. Remplacer le quark par de la crème sure.

Nouilles épicées

Voici un plat oriental corsé qui se compose de nouilles aux légumes, servies avec une sauce aux épices et au chili.

Préparation : 15 minutes · Cuisson : 20 minutes · Portions : 4

250 g	nouilles aux œufs sèches	8 oz
30 ml	huile végétale	2 c. à s.
150 g	champignons, tranchés	5 oz
250 ml	carottes, taillées en allumettes	1 tasse
1	poivron rouge, épépiné et coupé en lanières	1
250 g	fèves germées	½ lb
150 g	pois mange-tout, parés	5 oz
6	oignons verts, coupés en rondelles	6
15 ml	cari en poudre	1 c. à s.
	un peu de cumin moulu	
	sel	
5 ml	sambal œlek (sauce chili orientale)	1 c. à thé
45 ml	sauce soya	3 c. à s.

• Faire cuire les nouilles selon les directives sur l'emballage, jusqu'à ce qu'elles soient tendres. Égoutter et garder au chaud.

• Dans un wok ou une grande poêle, faire chauffer l'huile végétale à feu élevé et y faire sauter les champignons pendant 1 minute.

• Ajouter les carottes, le poivron et les fèves germées et faire sauter pendant 3 minutes.

• Ajouter les pois mange-tout et les oignons verts et faire sauter pendant 1 minute.

• Assaisonner le mélange de légumes avec la poudre de cari, le cumin et du sel, puis incorporer le sambal œlek et la sauce soya. Faire sauter pendant 1 minute.

• Mettre les nouilles dans le wok et faire cuire, en remuant, jusqu'à ce que le tout soit bien chaud. Servir immédiatement.

Présentation suggérée : Servir avec des galettes de riz.

Pour varier : Utiliser des pleurotes ou des champignons shiitake pour plus d'exotisme. Remplacer les pois mange-tout par du bok choi haché.

CONSEIL DU CHEF

Pour de meilleurs résultats, utiliser un grand wok et le faire chauffer jusqu'à ce qu'il fume avant d'y verser l'huile. S'assurer que l'huile est très chaude avant d'y ajouter les légumes.

Pâté de spaghettis

Il s'agit d'une impressionnante tarte faite de pâtes de blé entier avec un délicieux mélange de carottes, de champignons et de tofu.

Préparation : 45 minutes · Cuisson : 30 à 45 minutes · Portions : 4 à 6

300 g	spaghettis de blé entier	10 oz
1 kg	carottes, tranchées	2 lb
4	œufs de taille moyenne, battus	4
45 ml	crème à 35 %	3 c. à s.
45 ml	fécule de maïs	3 c. à s.
1	gousse d'ail, émincée	1
30 ml	basilic frais haché	2 c. à s.
15 à 30 ml	sauce soya	1 à 2 c. à s.
	sel et poivre fraîchement moulu	
30 à 45 ml	huile de tournesol	2 à 3 c. à s.
500 g	champignons de Paris	1 lb
250 g	tofu, coupé en petits cubes	8 oz
400 ml	lait	1⅔ tasse
	muscade moulue, au goût	
120 g	fromage cheddar	4 oz
	fines herbes fraîches, pour décorer	

• Dans une grande casserole d'eau bouillante salée, faire cuire les spaghettis pendant environ 15 minutes, ou jusqu'à ce qu'ils soient *al dente*. Rincer sous l'eau froide, égoutter complètement, puis étaler sur une planche pour que les spaghettis ne collent pas ensemble. Réserver.

• Entre-temps, faire cuire les carottes à la vapeur au-dessus d'une casserole d'eau bouillante pendant environ 30 minutes, jusqu'à ce qu'elles soient très tendres. Réduire en une purée lisse dans un robot culinaire ou un mélangeur.

• Dans un bol, mélanger les carottes, 3 œufs, la crème et la fécule de maïs. Y incorporer l'ail, le basilic, la sauce soya ainsi que du sel et du poivre. Réserver.

• Entre-temps, faire chauffer 15 ml (1 c. à s.) d'huile de tournesol dans une poêle et y faire revenir les champignons avec un peu de sel, en remuant de temps à autre, pendant environ 15 minutes, jusqu'à ce que le liquide se soit évaporé.

• Au mélange de carottes, ajouter les champignons et le tofu, bien mélanger, puis réserver.

• Battre le dernier œuf, puis en enrober les spaghettis.

• Tapisser un plat allant au four de papier d'aluminium et badigeonner d'huile.

• Disposer des spaghettis en spirales dans le plat, le long des parois. À l'aide d'une cuillère, déposer le mélange de carottes à l'intérieur et presser afin de maintenir les spaghettis en place contre les parois du plat. Mettre le reste des spaghettis sur le dessus, puis couvrir d'un papier d'aluminium badigeonné d'huile.

• Préchauffer le four à 220 °C (425 °F).

• Faire cuire au four de 30 à 45 minutes, jusqu'à ce que le pâté soit cuit.

• Soulever le papier d'aluminium du dessus, dégager le pâté du plat, puis retirer le papier d'aluminium du dessous. Mettre dans une assiette et garder au chaud.

• Entre-temps, pour la sauce au fromage, verser le lait dans une casserole, puis assaisonner avec du sel, du poivre et de la muscade. Ajouter le fromage et faire cuire à feu doux, en remuant sans arrêt, jusqu'à ce que la sauce soit crémeuse et chaude.

• Servir le pâté de spaghettis avec la sauce au fromage en accompagnement. Décorer de brins de fines herbes fraîches.

●

Présentation suggérée : Servir avec des légumes frais cuits, tels que des haricots verts et du maïs.

Tortellinis aux légumes

Ce plat des plus délectables est composé de tendres tortellinis, servis avec une sauce au fromage bleu et aux légumes.

Préparation : 10 minutes · Cuisson : 15 à 20 minutes · Portions : 4

500 g	tortellinis végétariens secs (au fromage ou aux épinards et au ricotta, par exemple)	16 oz
30 ml	beurre	2 c. à s.
4	oignons verts, hachés	4
175 ml	crème à 35 %	¾ tasse
120 g	gorgonzola	4 oz
350 g	pois mange-tout, parés	12 oz
12	tomates cerises	12
	sel et poivre fraîchement moulu	
4	feuilles de sauge, hachées finement	4
4	noix de Grenoble écalées et hachées, pour décorer	4

• Dans une grande casserole d'eau bouillante légèrement salée, faire cuire les tortellinis jusqu'à ce qu'ils soient cuits ou *al dente*.

• Égoutter complètement et garder au chaud.

• Dans une casserole, faire fondre le beurre et y faire cuire les oignons verts pendant 5 minutes, en remuant de temps à autre, jusqu'à ce qu'ils soient tendres.

• Verser la crème dans la casserole, y émietter le gorgonzola, puis faire cuire en remuant à feu doux, jusqu'à ce que le fromage soit fondu.

• Ajouter les pois mange-tout et faire cuire, en remuant de temps à autre, pendant 1 minute.

• Équeuter et évider les tomates, puis ajouter à la sauce ; saler et poivrer.

• Ajouter la sauge et mélanger.

• Ajouter les tortellinis cuits et mélanger.

• Faire chauffer le tout, puis servir immédiatement et décorer de noix hachées.

●

Présentation suggérée : Servir avec une baguette et une salade verte.

Pour varier : Remplacer le gorgonzola par du stilton. Remplacer les pois mange-tout par des champignons tranchés. Remplacer la crème à 35 % par de la crème à 10 %.

Penne à la sauce crémeuse au roquefort

Voici un plat composé de petites pâtes dans une sauce crémeuse au fromage et aux champignons.

Préparation : 10 minutes · Cuisson : 15 à 20 minutes · Portions : 4

500 ml	crème à 35 %	2 tasses
250 g	fromage roquefort	8 oz
	sel et poivre fraîchement moulu	
30 ml	beurre	2 c. à s.
250 g	champignons, émincés	8 oz
420 g	penne trois couleurs	14 oz

• Dans une casserole, verser la crème et émietter le roquefort. Bien mélanger.

• Amener à ébullition à feu doux, en remuant, puis saler et poivrer.

• Faire cuire à feu doux, en remuant, pour obtenir une sauce crémeuse. Garder au chaud.

• Dans une autre casserole, faire fondre le beurre et y faire cuire les champignons pendant environ 5 minutes, en remuant de temps à autre, jusqu'à ce qu'ils soient cuits.

• Saler et poivrer ; garder au chaud.

• Entre-temps, dans une casserole d'eau bouillante salée, faire cuire les pâtes de 8 à 10 minutes, ou jusqu'à ce qu'elles soient cuites ou *al dente*.

• Égoutter complètement les pâtes et les remettre dans la casserole.

• Bien incorporer la sauce au fromage et les champignons. Servir chaud.

Présentation suggérée : Servir avec du pain croûté frais et une salade de poivrons et de tomates.

Pour varier : Remplacer le roquefort par du stilton. Remplacer la crème à 35 % par de la crème à 10 %. Remplacer les champignons par des courgettes.

Plats principaux cuits au four

Tourte aux légumes à l'italienne

Ce délicieux plat de légumes cuits au four embaumera la cuisine des arômes typiques de l'Italie.

Préparation : 20 minutes · Cuisson : 25 à 30 minutes · Portions : 4

2	poivrons jaunes	2
2	poivrons rouges	2
200 g	fromage mozzarella	7 oz
4	courgettes de taille moyenne, tranchées	4
75 ml	olives noires dénoyautées	⅓ tasse
	sel et poivre fraîchement moulu	
2	gousses d'ail, écrasées	2
2	bottes de basilic frais, haché	2
75 ml	huile de soya	5 c. à s.

• Couper les poivrons en deux, en retirer les pépins, puis les couper en larges lanières.

• Déposer les lanières sur une plaque à pâtisserie et faire cuire au four préchauffé à 230 °C (450 °F) jusqu'à ce que la peau noircisse.

• Mettre les lanières de poivron dans un bol, couvrir d'un linge humide et, lorsqu'elles ont suffisamment refroidi pour être manipulées, en retirer la peau et la jeter. Réserver.

• Trancher la mozzarella, puis disposer les poivrons, la mozzarella et les tranches de courgettes sur un plat graissé allant au four. Garnir d'olives, puis saler et poivrer.

• Dans un petit bol, mélanger l'ail et le basilic avec l'huile de soya, puis verser sur les légumes et le fromage.

• Faire cuire de 25 à 30 minutes, ou jusqu'à ce que le tout soit cuit et doré. Servir chaud.

●

Présentation suggérée : Servir avec des pommes de terre au four et une salade de légumes frais du jardin.

Pour varier : Remplacer la mozzarella par du cheddar. Remplacer le basilic par de la coriandre ou de la ciboulette fraîche hachée.

Gratin de pommes de terre et de courgettes

Ce plat cuit au four, quoique rapide et facile à préparer, n'en est pas moins riche et savoureux.

Préparation : 10 minutes · Cuisson : 20 à 25 minutes · Portions : 4

500 ml	pommes de terre cuites, tranchées	2 tasses
500 ml	courgettes, tranchées	2 tasses
4	gousses d'ail, écrasées	4
500 ml	crème à 35 %	2 tasses
	sel et poivre fraîchement moulu	
30 à 60 ml	estragon frais haché	2 à 4 c. à s.
90 g	fromage emmenthal, râpé	3 oz
	une noisette de beurre	

• Dans un plat à soufflé graissé, disposer les tranches de pommes de terre et de courgettes de façon à ce qu'elles se chevauchent.

• Dans un bol, mélanger l'ail écrasé et la crème. Saler et poivrer.

• Incorporer l'estragon haché, puis napper uniformément les légumes de sauce.

• Parsemer de fromage râpé et de beurre.

• Préchauffer le four à 220 °C (425 °F).

• Faire cuire de 20 à 25 minutes, jusqu'à ce que le tout soit cuit et doré. Servir chaud.

Présentation suggérée : Servir avec une salade verte croustillante et une baguette ou des pains ciabattas.

Pour varier : Remplacer les pommes de terre par des patates douces. Remplacer les courgettes par des champignons. Remplacer l'emmenthal par du cheddar. Remplacer l'estragon par du basilic ou du persil frais.

Brocoli au four

Voici un plat de brocoli et de champignons légèrement épicés, garnis de fromage et d'une sauce crémeuse, puis cuits au four à la perfection.

Préparation : 20 minutes · Cuisson : 20 minutes · Portions : 4

875 ml	bouquets de brocoli	3½ tasses
30 ml	huile végétale	2 c. à s.
250 g	champignons café, coupés en 2 ou tranchés	8 oz
175 ml	oignons rouges, tranchés	¾ tasse
	sel et poivre fraîchement moulu	
	curcuma moulu, au goût	
	cumin moulu, au goût	
30 ml	graines de sésame grillées	2 c. à s.
375 ml	fromage emmenthal râpé	1½ tasse
SAUCE		
30 ml	graines de sésame grillées	2 c. à s.
250 ml	crème à 35 %	1 tasse
15 ml	crème sure	1 c. à s.
	sel et poivre fraîchement moulu	

• Dans une casserole d'eau bouillante légèrement salée, faire cuire le brocoli pendant environ 5 minutes, jusqu'à ce qu'il soit tendre. Égoutter complètement et réserver.

• Faire chauffer l'huile végétale dans une casserole et y faire cuire les champignons et les oignons pendant 3 minutes, en remuant. Retirer la casserole du feu et incorporer le brocoli.

• Dresser les légumes dans un plat allant au four et assaisonner de sel, de poivre, de curcuma et de cumin.

• Parsemer de graines de sésame et de fromage.

• Pour préparer la sauce : mélanger les graines de sésame avec la crème à 35 % et la crème sure, puis saler et poivrer.

• Préchauffer le four à 200 °C (400 °F).

• Verser la sauce sur les légumes et faire cuire au four pendant 20 minutes, jusqu'à ce qu'ils soient dorés et bouillonnants. Servir chaud.

●

Présentation suggérée : Servir avec du riz bouilli ou des pâtes cuites avec du pain croûté.

Pour varier : Remplacer le cumin par du cari en poudre ou de la coriandre moulue. Remplacer le brocoli par du chou-fleur.

Gratin de chou chinois

Il s'agit d'un succulent plat de légumes gratinés et cuits au four.

Préparation : 20 minutes · Cuisson : 30 minutes · Portions : 4

1	chou chinois d'environ 750 g / 1½ lb	1
625 ml	champignons tranchés	2½ tasses
	sel et poivre fraîchement moulu	
150 ml	crème sure	⅔ tasse
150 ml	yogourt nature crémeux	⅔ tasse
2	œufs de taille moyenne	2
	muscade moulue, au goût	
	cari en poudre, au goût	
175 ml	fromage gouda vieilli râpé	¾ tasse

• Couper le chou chinois en quatre et bien rincer. Faire cuire dans une casserole d'eau bouillante salée pendant environ 6 minutes.

• Préchauffer le four à 200 °C (400 °F).

• Égoutter le chou, puis le mettre dans un plat graissé allant au four.

• Disposer les champignons sur le chou, puis saler et poivrer.

• Dans un bol, mélanger la crème sure et le yogourt, incorporer les œufs, puis saler et poivrer.

• Ajouter la muscade moulue et le cari en poudre, bien remuer, puis verser la sauce sur les champignons.

• Parsemer de fromage râpé et faire cuire au four pendant environ 30 minutes, jusqu'à ce que le gratin soit doré. Servir chaud.

●

Présentation suggérée : Servir avec une salade composée ou des pommes de terre au four.

Pour varier : Remplacer les champignons par des courgettes. Remplacer le gouda par du cheddar. Remplacer le chou chinois par du chou vert.

Risotto aux légumes-racines et aux pois mange-tout

Il n'y a rien de tel qu'un délicieux risotto cuit au four pour réchauffer une froide soirée.

Préparation : 40 minutes · Cuisson : 20 minutes · Portions : 4

30 ml	huile d'olive	2 c. à s.
175 ml	riz à grains longs	¾ tasse
500 ml	bouillon de légumes	2 tasses
	sel et poivre fraîchement moulu	
4	œufs	4
250 ml	crème à 35 %	1 tasse
150 ml	fromage blanc à faible teneur en matières grasses	⅔ tasse
	muscade moulue	
750 g	légumes-racines préparés, tels que panais, rutabagas, navets et carottes, coupés en dés	1⅔ lb
375 ml	pois mange-tout, parés	1½ tasse
2	bottes de persil italien frais	2
125 ml	fromage parmesan râpé	½ tasse
45 ml	flocons de beurre	3 c. à s.
	fines herbes fraîches, pour décorer	

• Dans une poêle, faire chauffer l'huile d'olive et y faire cuire le riz pendant 1 minute, en remuant. Mouiller avec le bouillon de légumes ; saler et poivrer.

• Amener à ébullition, puis réduire le feu et laisser mijoter à découvert, en remuant de temps à autre, de 15 à 18 minutes, jusqu'à ce que le riz ait absorbé tout le liquide. Retirer la casserole du feu et réserver.

• Dans un bol, battre les œufs, ajouter la crème et le fromage blanc et bien mélanger. Assaisonner de sel, de poivre et de muscade.

• Dans une casserole d'eau bouillante, faire cuire les légumes-racines de 8 à 10 minutes, ou jusqu'à ce qu'ils soient tendres. Égoutter, réduire en purée et réserver.

• Dans une casserole d'eau bouillante, blanchir les pois mange-tout de 3 à 4 minutes, puis retirer, égoutter et mélanger avec les légumes en purée.

• Préchauffer le four à 200 °C (400 °F).

• Hacher finement le persil. Graisser un plat allant au four, puis étaler successivement une couche de riz et une couche de légumes, en terminant par une couche de légumes. Saler, poivrer et parsemer chacune des couches de persil.

• Napper uniformément les légumes du mélange de crème et d'œuf. Couvrir de fromage, parsemer de flocons de beurre et faire cuire au four pendant environ 20 minutes, ou jusqu'à ce que le risotto soit cuit et doré.

• Décorer de brins de fines herbes fraîches et servir immédiatement.

⬤

Présentation suggérée : Servir avec une salade verte ou une salade composée de poivrons, de tomates et d'oignons.

Pour varier : Remplacer les pois mange-tout par des champignons tranchés ou des courgettes tranchées. Remplacer le persil par de la coriandre fraîche hachée.

Gâteau de riz

Voici une excellente façon d'apprêter un restant de riz.

Préparation : 15 minutes · Cuisson : 15 minutes · Portions : 4

45 ml	huile d'olive	3 c. à s.
2	oignons, hachés finement	2
2	gousses d'ail, écrasées	2
30 ml	thym frais haché	2 c. à s.
2	poivrons rouges, épépinés et émincés	2
2	poivrons verts, épépinés et émincés	2
8	œufs, battus	8
	sel et poivre fraîchement moulu	
175 ml	riz brun cuit	¾ tasse
90 ml	yogourt nature	6 c. à s.
375 ml	fromage cheddar râpé	1½ tasse
	brins de thym frais, pour décorer	

• Dans une poêle, faire chauffer l'huile d'olive et y faire revenir les oignons et l'ail jusqu'à ce qu'ils soient tendres.

• Ajouter le thym haché et les poivrons, et faire revenir à feu doux de 4 à 5 minutes, en remuant de temps à autre.

• Dans un bol, battre les œufs ; saler et poivrer.

• Ajouter le riz cuit à la poêle, puis les œufs.

• Faire cuire à feu moyen, en remuant de temps à autre, jusqu'à ce que le dessous des œufs soient cuits.

• À l'aide d'une cuillère, napper de yogourt le mélange d'œufs partiellement cuits, puis parsemer le tout de fromage.

• Préchauffer le gril du four à température moyenne.

• Faire cuire sous le gril du four jusqu'à ce que le gâteau soit bien gonflé et doré. Décorer de brins de fines herbes fraîches et servir immédiatement.

Présentation suggérée : Servir avec une salade verte et des petits pains chauds ou des légumes verts cuits et des pommes de terre bouillies.

Pour varier : Utiliser un mélange de riz brun et de riz sauvage cuit. Remplacer le thym par une autre sorte de fines herbes fraîches, telle que la sauge, l'origan ou la marjolaine.

Macaronis au cheddar et aux pommes

Le classique mariage des pommes et du cheddar fait de ce plat un mets qui sort de l'ordinaire. De plus, il est rapide et facile à préparer au micro-ondes.

Préparation : 15 minutes · Cuisson : 23 minutes (au micro-ondes à puissance élevée) · Portions : 4

350 g	macaronis de blé entier	12 oz
20 ml	huile végétale	4 c. à thé
625 ml	lait	2½ tasses
15 ml	beurre ou margarine	1 c. à s.
30 ml	farine de blé entier	2 c. à s.
30 ml	arrow-root	2 c. à s.
5 ml	estragon séché	1 c. à thé
1	pincée de sel	1
500 ml	fromage cheddar, émietté ou râpé	2 tasses
2	pommes, pelées, évidées et hachées	2
2	oignons, hachés	2
2	gousses d'ail, écrasées	2
	fines herbes fraîches, pour décorer	

• Mettre les macaronis dans un plat allant au micro-ondes avec 10 ml (2 c. à thé) d'huile végétale et la quantité nécessaire d'eau bouillante pour les couvrir complètement. Faire cuire au micro-ondes à puissance élevée pendant 10 minutes, ou jusqu'à ce que les pâtes soient cuites ou *al dente*.

• Égoutter les pâtes et les rincer sous l'eau froide afin qu'elles ne soient pas trop cuites. Réserver.

• Dans un petit bol allant au micro-ondes, bien mélanger le lait, le beurre, la farine, l'arrow-root, l'estragon et le sel.

• Faire cuire à puissance élevée pendant 2 minutes. Bien remuer, puis poursuivre la cuisson à puissance élevée pendant 2 minutes.

• Réserver 125 ml (½ tasse) de fromage pour garnir. Incorporer le reste du fromage à la sauce et faire cuire à puissance élevée pendant 1 minute, jusqu'à ce que le fromage soit fondu. Réserver.

• Dans un grand bol allant au micro-ondes, bien mélanger les pommes, les oignons, l'ail et le reste de l'huile, soit 10 ml (2 c. à thé).

• Couvrir le bol d'une pellicule de plastique, puis percer la pellicule à plusieurs endroits à l'aide d'un couteau bien aiguisé.

• Faire cuire le mélange de pommes et d'oignons à puissance élevée de 3 à 4 minutes, jusqu'à ce qu'ils soient tendres.

• Incorporer la sauce au fromage, puis les pâtes égouttées.

• Transférer dans un plat et parsemer du fromage réservé. Faire cuire à puissance élevée pendant 4 minutes afin de bien réchauffer le tout et de faire fondre la garniture de fromage. Décorer de brins de fines herbes fraîches avant de servir.

●

Présentation suggérée : Servir avec une salade composée.

Pour varier : Remplacer l'estragon par de la sauge séchée.

Lentilles moussaka

Ce plat, classique et très populaire, nous fait goûter les saveurs des îles grecques.

Préparation : 1 heure · Cuisson : 40 minutes · Portions : 4 à 6

175 ml	lentilles vertes entières	¾ tasse
60 à 75 ml	huile d'olive	4 à 5 c. à s.
1	grosse aubergine, tranchée	1
1	gros oignon, haché	1
1	gousse d'ail, écrasée	1
1	grosse carotte, coupée en dés	1
4	branches de céleri, hachées finement	4
5 à 10 ml	mélange de fines herbes séchées	1 à 2 c. à thé
398 ml	tomates en conserve, hachées	14 oz
10 ml	shoyu (sauce soya japonaise)	2 c. à thé
	poivre fraîchement moulu	
2	pommes de terre de taille moyenne, cuite et tranchée	2
2	grosses tomates	2
SAUCE		
60 ml	margarine	4 c. à s.
125 ml	farine de riz brun	½ tasse
425 ml	lait	1¾ tasse
1	gros œuf, le blanc et le jaune séparés	1
125 ml	fromage cheddar râpé	½ tasse
5 ml	muscade moulue	1 c. à thé
	fines herbes fraîches, pour décorer	

• Dans une casserole remplie d'eau, faire cuire les lentilles jusqu'à ce qu'elles soient tendres. Égoutter et réserver le liquide de cuisson. Réserver les lentilles.

• Entre-temps, dans une poêle, faire chauffer l'huile d'olive et y faire revenir l'aubergine jusqu'à ce qu'elle soit légèrement dorée. Égoutter complètement et réserver.

• Dans la poêle, faire sauter l'oignon, l'ail, la carotte et le céleri avec un peu du liquide de cuisson des lentilles. Couvrir et laisser mijoter jusqu'à ce que les légumes soient tendres, en remuant de temps à autre.

• Ajouter les lentilles, le mélange de fines herbes et les tomates en conserve. Laisser mijoter à feu doux, de 3 à 4 minutes. Assaisonner avec la sauce shoyu et du poivre.

• Déposer une partie des lentilles au fond d'une cocotte, couvrir de la moitié des tranches d'aubergine.

• Couvrir les aubergines de la moitié des tranches de pommes de terre et la totalité des tranches de tomate. Recommencer avec le reste des lentilles, de l'aubergine et des pommes de terre.

• Préchauffer le four à 180 °C (350 °F).

• Pour préparer la sauce : faire fondre la margarine dans une casserole, retirer du feu, puis incorporer la farine. Ajouter graduellement le lait en remuant bien pour obtenir une sauce lisse.

• Remettre la casserole sur le feu et faire cuire, en remuant sans arrêt, jusqu'à ce que la sauce ait épaissi.

• Retirer la casserole du feu et laisser refroidir quelque peu. Incorporer le jaune d'œuf, le fromage et la muscade.

• Dans un bol, fouetter le blanc d'œuf jusqu'à ce qu'il soit ferme, puis l'incorporer à la sauce, en pliant.

• Verser la sauce sur la moussaka, puis couvrir le plat. Faire cuire au four pendant environ 40 minutes, jusqu'à ce que le dessus soit gonflé et doré. Décorer de brins de fines herbes fraîches avant de servir chaud.

Présentation suggérée : Servir avec une salade verte croustillante.

Pour varier : Remplacer les lentilles vertes par des lentilles brunes entières. Remplacer les pommes de terre par des patates douces.

Lasagnes à la ratatouille

Voici un appétissant plat méditerranéen de lasagnes aux légumes qui constitue un repas nourrissant.

Préparation : 30 minutes · Cuisson : 35 minutes · Portions : 4 à 6

6	lasagnes aux épinards ou au blé entier	6
30 à 45 ml	huile d'olive	2 à 3 c. à s.
2	oignons, hachés finement	2
2	gousses d'ail, écrasées	2
2	grosses aubergines, hachées	2
1	courgette, émincée	1
1	poivron vert, épépiné et haché	1
1	poivron rouge, épépiné et haché	1
398 ml	tomates en conserve, hachées	14 oz
30 à 45 ml	purée de tomate	2 à 3 c. à s.
	un peu de bouillon de légumes	
	sel et poivre fraîchement moulu	
SAUCE		
30 ml	beurre	2 c. à s.
50 ml	farine de blé entier	¼ tasse
300 ml	lait	1¼ tasse
125 ml	fromage parmesan râpé	½ tasse
	persil frais, pour décorer	

• Dans de l'eau bouillante salée, faire cuire les lasagnes de 12 à 15 minutes. Plonger dans un bol d'eau froide afin qu'elles ne soient pas trop cuites ou collantes.

• Faire chauffer l'huile d'olive dans une poêle et y faire revenir l'oignon et l'ail jusqu'à ce qu'ils soient tendres.

• Ajouter les aubergines, la courgette et les poivrons et faire cuire, en remuant de temps à autre, jusqu'à ce qu'ils soient tendres.

• Ajouter les tomates avec leur jus et la purée de tomate et laisser mijoter, en remuant de temps à autre, jusqu'à ce qu'elles soient tendres. Ajouter un peu de bouillon, s'il y a lieu. Saler et poivrer ; réserver.

• Pour préparer la sauce : dans une casserole, faire fondre le beurre. Y ajouter la farine et faire cuire pendant 1 minute, en remuant.

• Ajouter le lait graduellement, en remuant sans arrêt, amener à ébullition et laisser mijoter pendant environ 3 minutes. Retirer la casserole du feu.

• Graisser un plat profond allant au four. Superposer des couches successives de ratatouille et de pâtes, en commençant par une couche de ratatouille et en terminant par une couche de pâtes.

• Verser la sauce blanche sur le dessus et parsemer de parmesan.

• Préchauffer le four à 180 °C (350 °F).

• Faire cuire au four pendant environ 35 minutes, jusqu'à ce que le plat soit doré et bouillonnant. Décorer de brins de persil frais et servir chaud.

●

Présentation suggérée : Servir avec des petits pains croustillants et une salade verte.

Pour varier : Remplacer les aubergines par 750 ml (3 tasses) de champignons tranchés. Remplacer les tomates en conserve par 750 ml (3 tasses) de tomates fraîches, sans peau et hachées. Remplacer les oignons par trois ou quatre poireaux.

Lasagnes aux légumineuses

Ce délicieux plat de lasagnes est parfait pour un repas en famille ou entre amis.

Préparation : 35 minutes · Cuisson : 35 minutes · Portions : 4 à 6

8	lasagnes de blé entier	8
1	gros oignon, haché finement	1
15 ml	huile végétale	1 c. à s.
	sel	
1 ou 2	gousses d'ail, écrasées	1 ou 2
250 ml	haricots adzuki cuits	1 tasse
1	poivron vert, épépiné et haché	1
398 ml	tomates en conserve, hachées	14 oz
15 ml	purée de tomate	1 c. à s.
5 ml	basilic séché	1 c. à thé
5 ml	origan séché	1 c. à thé
	shoyu (sauce soya japonaise) ou sel	
	poivre fraîchement moulu	
SAUCE		
30 ml	beurre ou margarine	2 c. à s.
50 ml	farine de blé entier	¼ tasse
425 ml	lait de vache ou de soya, froid	1¾ tasse
125 ml	fromage cheddar râpé (facultatif)	½ tasse
	brins de fines herbes fraîches	

• Dans une grande casserole d'eau bouillante salée, faire cuire les lasagnes de 8 à 10 minutes, jusqu'à ce qu'elles soient *al dente*. Égoutter complètement et étaler sur une grille ou sur les bords d'une passoire pour qu'elles refroidissent sans coller ensemble.

• Entre-temps, dans une casserole, faire chauffer l'huile végétale et y faire ramollir l'oignon, en le parsemant d'un peu de sel afin d'en extraire le jus, puis ajouter l'ail.

• Ajouter les haricots, le poivron, les tomates, la purée de tomate, le basilic et l'origan ; mélanger.

• Laisser mijoter, en remuant de temps à autre, pendant 10 minutes, ou jusqu'à ce que les légumes soient tendres.

• Incorporer la sauce shoyu ; saler et poivrer.

• Entre-temps, pour préparer la sauce : dans une casserole, mettre le beurre, la farine et le lait. Porter à ébullition à feu doux, en remuant sans arrêt.

• Lorsque la sauce a épaissi, laisser mijoter à demi-couvert, en remuant souvent, pendant environ 6 minutes.

• Incorporer le fromage à la sauce, s'il y a lieu, puis saler et poivrer.

• Dans un plat graissé, verser la moitié du mélange de haricots, couvrir de la moitié des pâtes, verser l'autre moitié du mélange de haricots sur les pâtes, puis terminer avec l'autre moitié des pâtes. Verser la sauce sur le dessus.

• Préchauffer le four à 180 °C (350 °F).

• Faire cuire au four pendant environ 35 minutes, jusqu'à ce que le plat soit doré et bouillonnant.

• Servir dans le même plat et décorer de brins de fines herbes fraîches.

●

Présentation suggérée : Servir avec une salade verte et du pain croûté.

Pour varier : Remplacer les lasagnes de blé entier par des lasagnes aux épinards. Remplacer les haricots adzuki par une autre sorte de haricots cuits, tels que des dolics à œil noir ou des flageolets.

Desserts et pains

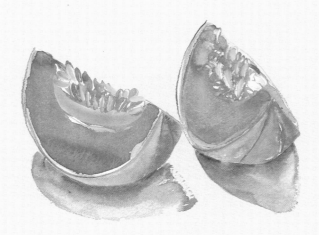

Salade de fruits d'Auckland

Ce dessert se compose d'une succulente combinaison de fruits, garnie d'une somptueuse crème aromatisée à la liqueur d'orange.

Préparation : 20 minutes, plus 30 minutes de repos · Portions : 4

3	kiwis	3
2	poires	2
625 ml	fraises	2½ tasses
500 ml	raisins rouges	2 tasses
	jus de 2 citrons	
30 ml	liqueur d'orange	2 c. à s.
45 ml	sucre	3 c. à s.
125 ml	crème à 35 %	½ tasse
60 ml	liqueur Irish Cream	4 c. à s.
5 ml	cassonade	1 c. à thé

• Peler les kiwis, les couper en deux dans le sens de la longueur, puis trancher la pulpe. Mettre dans un grand bol.

• Peler les poires, puis les couper en quartiers, en retirer le cœur et le jeter, puis trancher la pulpe. Mettre dans le bol.

• Couper les fraises en deux, ou en quatre si elles sont assez grosses, et les mettre dans le bol.

• Couper les raisins en deux, en retirer les pépins et les jeter. Ajouter aux autres fruits.

• Mélanger délicatement les fruits avec le jus de citron, la liqueur d'orange et le sucre. Laisser reposer pendant environ 30 minutes afin que les saveurs se marient.

• Pour préparer la garniture : dans un petit bol, mélanger la crème, la liqueur Irish Cream et la cassonade.

• Servir la salade de fruits dans des bols et napper de la garniture.

Présentation suggérée : Servir avec des boudoirs.

Pour varier : Remplacer les poires par des pommes. Remplacer la crème à 35 % par de la crème sure ou du yogourt nature.

Salade de fruits exotique

La mangue, qui possède une saveur douce particulière, donne à cette magnifique salade de fruits un goût à la fois sucré et piquant.

Préparation : 25 minutes · Réfrigération : 1 heure · Portions : 4 à 6

3	pêches mûres	3
3	kiwis	3
1	grosse carambole	1
250 ml	fraises fraîches	1 tasse
2	mangues bien mûres	2
	jus de ½ lime	
175 ml	groseilles	¾ tasse
	quelques feuilles de fraisier, pour décorer	

• Plonger les pêches dans l'eau bouillante pendant quelques secondes, puis retirer délicatement la peau à l'aide d'un couteau bien aiguisé.

• Couper les pêches en deux, puis en retirer le noyau et le jeter.

• Trancher les moitiés de pêche, puis dresser dans un plat de service.

• Peler les kiwis, puis les trancher dans le sens de la largeur.

• Enlever les parties foncées de la peau de la carambole, puis couper en tranches minces. Retirer les petites graines.

• Laisser la queue des fraises et couper en deux dans le sens de la longueur.

• Disposer les tranches de kiwis et de carambole ainsi que les fraises dans le plat de service.

• Peler les mangues et retirer la pulpe tout autour du noyau. La mettre dans un robot culinaire ou un mixeur avec le jus de lime et la moitié des groseilles.

• Réduire en une purée lisse, puis passer à travers un tamis de nylon afin de filtrer les pépins et la peau des groseilles.

• Retirer la queue et les feuilles du reste des groseilles et répartir sur la salade de fruits.

• Verser la purée de fruits uniformément sur la salade et réfrigérer pendant au moins 1 heure avant de servir. Décorer de feuilles de fraisier avant de servir.

●

Présentation suggérée : Servir avec des biscuits au gingembre.

Pour varier : Utiliser n'importe quels fruits pour préparer la salade, mais ne pas remplacer la mangue. Remplacer le jus de lime par du jus de citron.

CONSEIL DU CHEF
●

À défaut d'avoir un robot culinaire ou un mixeur, si la mangue est bien mûre, utiliser un tamis métallique.

Fruits frais dans un sirop au vin rouge

Voici un délicieux dessert estival, servi avec une sauce épicée au vin rouge. Utiliser une grande variété de fruits.

Préparation : 20 minutes · Macération : 1 journée · Cuisson : 30 minutes · Portions : 8

1 litre	vin rouge (Beaujolais ou du même type)	4 tasses
175 ml	eau	¾ tasse
550 ml	sucre	2¼ tasses
1	clou de girofle	1
	zeste de 1 orange râpé finement	
1	bâton de cannelle	1
2 litres	un assortiment de fruits frais, pelés, dénoyautés, tranchés ou coupés en 2, selon le cas	8 tasses
	feuilles de menthe fraîche, pour décorer	

• Pour préparer le sirop : mettre le vin, l'eau, le sucre, le clou de girofle, le zeste d'orange et le bâton de cannelle dans une casserole et faire bouillir pendant au moins 30 minutes.

• Retirer la casserole du feu et laisser refroidir. Réfrigérer.

• Préparer les fruits, les mettre dans un bol et les mélanger délicatement.

• Retirer le clou de girofle et le bâton de cannelle du sirop, puis verser sur les fruits et servir. Décorer de feuilles de menthe fraîche.

●

Présentation suggérée : Servir avec des boules de sorbet à l'orange ou de crème glacée à la vanille.

Pour varier : Lorsque le sirop est refroidi, y ajouter les fruits et laisser macérer pendant 1 jour au réfrigérateur avant de servir. Remplacer le clou de girofle par une gousse de cardamome écrasée.

CONSEIL DU CHEF

●

N'utiliser que des fruits bien frais pour la préparation de ce plat.

Fruits en melon

Ce dessert simple, au goût frais, est servi avec un sirop piquant au miel et au citron et parsemé de noisettes.

Préparation : 15 minutes · Portions : 4

1	melon miel (honeydew)	1
2	pommes	2
2	bananes	2
250 ml	quartiers de mandarine	1 tasse
30 à 45 ml	jus de citron	2 à 3 c. à s.
30 ml	miel	2 c. à s.
	noisettes hachées	

• Couper le melon en quartiers, en retirer les pépins et les jeter, puis peler. Couper la pulpe en lanières.

• Peler les pommes et les couper en quartiers. En retirer le cœur et le jeter, puis couper la pulpe en lanières.

• Peler les bananes et couper en rondelles.

• Mettre les fruits préparés dans un bol avec les quartiers de mandarine.

• Ajouter le jus de citron et le miel ; bien mélanger.

• Parsemer de noisettes hachées et servir.

Présentation suggérée : Pour une occasion particulière, servir la salade de fruits dans une moitié de melon préalablement réfrigérée et coupée en dents de loup. Servir avec de la crème fouettée ou de la crème glacée.

Pour varier : Remplacer les pommes par des poires. Remplacer les noisettes par des noix ou des amandes.

Salade de fruits frais et séchés

Des fruits séchés sont ravivés avec des fruits frais de saison, pommes et oranges en hiver, fruits tendres ou pêches en été, dans ce délicieux dessert.

Préparation : 10 minutes · Cuisson : 8 minutes (au micro-ondes) · Portions : 4

250 g	mélange de fruits séchés	½ lb
250 ml	jus de pomme	1 tasse
2	pommes	2
1	orange	1

• Dans un bol allant au micro-ondes, mélanger les fruits séchés avec le jus de pomme.

• Faire cuire au micro-ondes à puissance moyenne pendant 8 minutes. Laisser refroidir.

• Hacher les pommes sans les peler.

• Peler l'orange en prenant soin d'enlever toute la peau blanche. Dégager la pulpe des membranes, puis couper en morceaux.

• Dans un bol, mélanger les pommes hachées, les oranges, les fruits séchés et le jus de pomme. Réfrigérer jusqu'au moment de servir.

• Servir dans des bols.

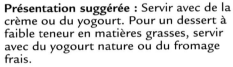

Présentation suggérée : Servir avec de la crème ou du yogourt. Pour un dessert à faible teneur en matières grasses, servir avec du yogourt nature ou du fromage frais.

Pour varier : Utiliser n'importe quels fruits séchés pour préparer cette salade. Remplacer le jus de pomme par du jus d'orange. Remplacer les pommes par des poires. Remplacer l'orange par deux mandarines.

Pommes aux framboises au four

Voici une succulente combinaison de fruits, délicieusement agrémentée de crème ou de yogourt.

Préparation : 10 minutes · Cuisson : 30 à 35 minutes · Portions : 4

30 ml	jus de pomme concentré	2 c. à s.
60 ml	eau	4 c. à s.
30 ml	miel	2 c. à s.
5 ml	épices mélangées moulues	1 c. à thé
2	grosses pommes	2
500 ml	framboises fraîches	2 tasses

• Dans un grand bol, mélanger le jus de pomme, l'eau, le miel et les épices mélangées.

• À l'aide d'un couteau bien aiguisé, faire une incision en zigzag autour des pommes.

• Séparer chacune des pommes en tenant une moitié dans chaque main et en tournant délicatement les deux moitiés dans des directions opposées jusqu'à ce qu'elles se séparent.

• Évider et plonger les pommes dans le mélange de jus de pomme.

• Préchauffer le four à 200 °C (400 °F).

• Mettre les moitiés de pomme dans un plat allant au four et faire cuire de 20 à 25 minutes, jusqu'à ce qu'elles soient tendres. Réduire la température du four à 150 °C (300 °F).

• Retirer du four et garnir de framboises.

• Verser le mélange de jus de pomme sur les framboises et remettre au four pendant 10 minutes. Servir immédiatement.

CONSEIL DU CHEF

On peut utiliser des framboises congelées pour la préparation de ce plat, mais il faut d'abord les faire décongeler complètement.

Présentation suggérée : Servir et garnir de yogourt nature ou de crème fouettée.

Pour varier : Remplacer les framboises par des mûres ou des petites fraises fraîches. Remplacer le jus de pomme par du jus d'orange ou d'ananas concentré. Remplacer le mélange d'épices par du gingembre moulu ou de la cannelle moulue.

Melon au zeste d'orange caramélisé

Ce dessert aux fruits est arrosé de vin et de liqueur d'orange, et sucré au miel.

Préparation : 20 minutes · Cuisson : 10 minutes · Portions : 4

4	melons miels (honeydew) ou cantaloups	4
4	oranges	4
250 ml	vin blanc	1 tasse
60 ml	miel	4 c. à s.
60 ml	liqueur d'orange	4 c. à s.
4	blancs d'œufs	4
60 ml	sucre à glacer, tamisé	4 c. à s.

• Couper les melons en deux, enlever les pépins et les jeter, puis retirer la pulpe de quatre moitiés de melon à l'aide d'une cuillère parisienne. Déposer les boules de melon dans un bol.

• Mettre les quatre autres moitiés de melon au réfrigérateur.

• Peler délicatement les oranges, puis couper le zeste en lanières.

• Dans une casserole, mélanger le vin et le miel, ajouter le zeste d'orange et faire cuire, en remuant souvent, jusqu'à ce que le liquide se soit évaporé et que le zeste soit caramélisé. Retirer du feu et réserver.

• Retirer complètement la peau blanche de l'orange pelée, puis séparer en quartiers.

• Hacher les quartiers d'orange, puis mélanger avec le zeste d'orange caramélisé et les boules de melon.

• Déglacer la casserole de caramel avec la liqueur d'orange.

• Garnir les quatre moitiés de melon réfrigérées du mélange de fruits et remettre au réfrigérateur pendant 1 heure.

• Dans un bol, fouetter les blancs d'œufs avec le sucre à glacer jusqu'à ce qu'ils soient fermes.

• Mettre le mélange dans une poche à décorer, munie d'une douille en étoile, et garnir les fruits de rosettes.

• Faire cuire au gril préchauffé pendant environ 3 minutes, jusqu'à ce que la meringue soit légèrement dorée. Servir immédiatement.

Présentation suggérée : Servir avec de la crème fouettée ou de la crème fraîche.

Pour varier : Remplacer les oranges par quatre petits pamplemousses roses. Remplacer le vin blanc par du vin rosé.

Bagatelle à la salade de fruits

Voici une somptueuse bagatelle aux fruits et aux noix, avec un fond de gâteau éponge au caroube et une garniture à la crème et au yogourt : le dessert tout désigné pour une réception.

Préparation : 30 minutes, plus le temps de refroidissement et de réfrigération · Cuisson : 20 minutes · Portions : 6

GÂTEAU ÉPONGE AU CAROUBE

125 ml	beurre ramolli ou margarine	½ tasse
125 ml	sucre muscovado ou à la démérara, moulu	½ tasse
2	œufs de taille moyenne	2
175 ml	farine de blé entier, tamisée	¾ tasse
50 ml	caroube en poudre	¼ tasse
7 ml	poudre à pâte	1½ c. à thé

BAGATELLE

90 ml	jus de pomme	6 c. à s.
15 à 30 ml	liqueur d'abricot ou de banane (facultatif)	1 à 2 c. à s.
2	pommes fermes, non pelées, évidées et hachées	2
1	grosse banane, tranchée	1
2	oranges, séparées en quartiers et hachées grossièrement	2
	la moitié d'un ananas, évidé et coupé en dés	
	quelques raisins, coupés en 2 et épépinés	
125 ml	dattes fraîches, dénoyautées et hachées	½ tasse
125 ml	noisettes, hachées	½ tasse
125 ml	crème fouettée	½ tasse
125 ml	yogourt nature	½ tasse
	quartiers d'orange, dés d'ananas et brisures de caroube, pour décorer	

• Dans un bol, travailler le beurre et le sucre pour obtenir une consistance pâle et légère.

• Incorporer les œufs, un à la fois, et bien battre après chaque addition.

• Ajouter ensuite la farine, le caroube en poudre et la poudre à pâte en pliant délicatement.

• Préchauffer le four à 180 °C (350 °F).

• Verser dans deux moules à gâteau éponge ou à flan graissés, de 18 cm (7 po) de diamètre, et aplanir la surface. Faire cuire au four pendant environ 20 minutes, jusqu'à ce qu'ils aient levé et soient dorés.

• Déposer sur une grille et laisser refroidir.

• Déposer l'un des gâteaux éponges au caroube dans le fond d'un bol à bagatelle, et arroser de jus de pomme. Laisser reposer pendant 30 minutes. (Congeler l'autre gâteau pour une utilisation ultérieure.)

• Y verser la liqueur en filet, s'il y a lieu, puis couvrir complètement le gâteau éponge avec les fruits préparés et les noix.

• Dans un bol, fouetter la crème jusqu'à ce qu'elle soit ferme, puis incorporer le yogourt en pliant.

• Étaler uniformément sur les fruits, en s'assurant de les couvrir complètement.

• À l'aide du dos d'une fourchette, tracer un motif en partant du bord du bol jusqu'au centre. Réfrigérer avant de servir. Décorer de quartiers d'orange, de dés d'ananas et de brisures de caroube, puis servir.

●

Présentation suggérée : Servir la bagatelle seule ou accompagnée d'un peu de crème ou de yogourt.

Pour varier : Utiliser n'importe quels fruits frais préparés. Remplacer le caroube en poudre par du cacao en poudre. Remplacer la farine de blé entier par de la farine blanche. Remplacer les noisettes par des amandes ou des pistaches.

CONSEIL DU CHEF

●

Comme cette recette donne deux gâteaux éponges et qu'un seul est nécessaire pour préparer la bagatelle, on peut congeler le deuxième.

Oranges au cognac et crème à la mangue et aux pêches

Voici un dessert tout aussi délicieux qu'attrayant.

Préparation : 20 minutes · Réfrigération : 1 heure · Cuisson : 2 minutes · Portions : 4

6	grosses oranges jaffa	6
45 ml	cognac	3 c. à s.
2	mangues, pelées, dénoyautées et coupées en morceaux	2
4	petites pêches mûres, pelées, dénoyautées et hachées grossièrement	4
45 ml	crème à 35 %	3 c. à s.

• Peler délicatement le zeste de trois oranges et le faire bouillir dans une casserole dans un peu d'eau pendant 2 minutes.

• Retirer du feu, égoutter et laisser refroidir.

• Peler les oranges à l'aide d'un couteau bien aiguisé, en prenant soin d'enlever toute la peau blanche.

• Couper les oranges en tranches minces, dresser dans un plat de service et parsemer de zeste.

• Arroser les oranges de cognac, couvrir et réfrigérer pendant environ 1 heure.

• Au robot culinaire ou au mélangeur, réduire les mangues et les pêches en une purée lisse. Verser dans un bol.

• Incorporer la crème, couvrir et réfrigérer jusqu'au moment de servir.

• Servir les oranges avec la crème à la mangue et aux pêches en accompagnement.

●

Présentation suggérée : Servir avec des gaufrettes ou des boudoirs.

Pour varier : Remplacer la crème à 35 % par du yogourt nature ou de la crème à 10 %. Remplacer les pêches par des nectarines. Remplacer les oranges par des pamplemousses roses.

CONSEIL DU CHEF

●

Utiliser un zesteur pour peler le zeste des oranges.

Brochettes de fruits avec garniture à la mangue

Ces succulentes brochettes de fruits ajouteront une touche d'exotisme à votre table.

Préparation : 25 minutes · Cuisson : 15 minutes · Portions : 4

2	figues fraîches	2
1	papaye	1
1	petit ananas	1
4	mangues	4
2	oranges	2
2	kiwis	2
8	kumquats	8
45 ml	beurre	3 c. à s.
50 ml	miel	¼ tasse
30 ml	jus de lime	2 c. à s.
60 ml	jus d'orange	4 c. à s.
250 ml	amandes, hachées finement ou moulues	1 tasse
125 ml	sucre	½ tasse
4	jaunes d'œufs	4
45 ml	jus de pomme non sucré	3 c. à s.
30 ml	jus de citron	2 c. à s.

• Enlever les extrémités des figues, puis les couper en quartiers. Peler la papaye, en retirer les graines et les jeter. Couper la pulpe en tranches épaisses, puis couper en deux dans le sens de la longueur.

• Peler l'ananas, puis trancher, en prenant soin d'enlever le cœur. Peler et dénoyauter deux mangues, couper la pulpe en morceaux épais, puis couper en deux dans le sens de la longueur.

• Peler les oranges et séparer en quartiers. Peler les kiwis et couper en huit.

• Enfiler les fruits préparés sur 8 brochettes courtes ou 4 longues, en prenant soin de répartir également les fruits. Mettre les kumquats aux extrémités afin de maintenir les ingrédients en place.

• Pour préparer la sauce : faire fondre le beurre dans une casserole à feu doux avec le miel. Ajouter les jus de lime et d'orange et faire cuire, en remuant, pour obtenir une sauce épaisse.

• Napper les brochettes de sauce et parsemer d'amandes hachées ou moulues.

• Faire cuire au gril préchauffé, le plus près possible de la source de chaleur, de 8 à 10 minutes, en tournant souvent les brochettes.

• Entre-temps, pour la garniture à la mangue, peler les deux autres mangues, retirer les noyaux et jeter, puis au robot culinaire ou au mélangeur, réduire la pulpe en une purée lisse.

• Verser dans un bol. Incorporer le sucre, les jaunes d'œufs, les jus de pomme et de citron et bien mélanger.

• Placer le bol au-dessus d'une casserole d'eau bouillante et battre jusqu'à ce que la garniture ait épaissi.

• Garnir les brochettes chaudes de sauce à la mangue et servir immédiatement.

●

Présentation suggérée : Servir avec de la crème glacée, du yogourt ou de la crème.

Pour varier : Utiliser n'importe quels fruits. Remplacer les amandes par des noisettes hachées finement ou moulues.

Crêpes aux bleuets

Les crêpes sont toujours un régal et celles-ci, apprêtées avec des bleuets, sont tout particulièrement délicieuses.

Préparation : 10 minutes · Repos : 10 minutes · Cuisson : 8 à 10 minutes · Portions : 4

90 ml	farine	6 c. à s.
250 ml	lait	1 tasse
1	pincée de sel	1
4	œufs de taille moyenne	4
1 ml	poudre à pâte	¼ c. à thé
	beurre	
175 à 250 ml	bleuets	¾ à 1 tasse
	sucre, au goût	
	menthe fraîche, pour décorer	

• Dans un bol, battre la farine, le lait et le sel à l'aide d'un fouet, pour obtenir une pâte lisse.

• Laisser reposer la pâte pendant environ 10 minutes, puis y incorporer les œufs et la poudre à pâte.

• Faire fondre du beurre dans une petite poêle, puis y verser le quart de la pâte. Parsemer uniformément du quart des bleuets.

• Faire cuire pendant 4 minutes, puis faire glisser la crêpe dans une assiette pour la retourner.

• Faire fondre de nouveau du beurre dans la poêle.

• Remettre la crêpe dans la poêle, le côté cuit sur le dessus et poursuivre la cuisson de 4 à 5 minutes, jusqu'à ce qu'elle soit dorée.

• Recommencer avec le reste de la pâte et des bleuets pour obtenir trois autres crêpes.

• Servir les crêpes dans des assiettes chaudes et parsemer de sucre. Décorer de brins de menthe fraîche.

Présentation suggérée : Servir avec une bonne cuillerée de crème fouettée ou une boule de crème glacée.

Pour varier : Remplacer les bleuets par des framboises ou des mûres. Remplacer la farine blanche par de la farine de blé entier.

Nouilles au chocolat et sauce à la vanille

Ce dessert de nouilles chaudes sucrées, tout aussi somptueux qu'inusité, est un délice.

Préparation : 20 minutes · Repos : 30 minutes · Cuisson : 15 minutes · Portions : 4

375 ml	farine, tamisée	1½ tasse
250 ml	cacao en poudre, tamisé	1 tasse
75 ml	sucre à glacer, tamisé	⅓ tasse
2	gros œufs	2
60 g	fromage mascarpone	2 oz
1 ml	pincée de sel	¼ c. à thé
45 ml	beurre	3 c. à s.
50 ml	sucre cristallisé	¼ tasse
4	jaunes d'œufs	4
90 ml	sucre en poudre	6 c. à s.
250 ml	lait	1 tasse
175 ml	crème à 35 %	¾ tasse
1	gousse de vanille	1
	menthe fraîche, pour décorer	

• Pour préparer les nouilles : dans un bol, bien mélanger la farine, le cacao en poudre, le sucre à glacer, les œufs, le fromage mascarpone et le sel. Pétrir délicatement de 5 à 10 minutes, pour obtenir une pâte lisse.

• Couvrir et laisser reposer pendant 30 minutes.

• Porter une grande casserole d'eau à ébullition et y ajouter le beurre et le sucre cristallisé.

• Abaisser la pâte sur une surface légèrement farinée et couper en lanières.

• Mettre les nouilles dans l'eau bouillante et laisser mijoter pendant environ 4 minutes, jusqu'à ce qu'elles soient tendres. Égoutter et assécher à l'aide d'essuie-tout ou d'une serviette propre et garder au chaud.

• Pour préparer la sauce : dans un bol, battre les jaunes d'œufs avec le sucre en poudre.

• Dans une casserole, faire chauffer le lait, la crème et la gousse de vanille, en remuant, pendant quelques minutes. Retirer la gousse de vanille.

• Faire chauffer le lait et la crème à feu doux, en remuant, puis verser sur le mélange aux œufs, en remuant sans arrêt.

• Remettre dans la casserole et faire cuire à feu doux, en remuant sans arrêt, jusqu'à ce que la sauce ait épaissi. Ne pas faire bouillir.

• Répartir les nouilles chaudes au chocolat entre quatre assiettes, napper de sauce à la vanille, décorer de brins de menthe fraîche et servir.

Présentation suggérée : Servir avec des fruits frais, tels que des framboises, des fraises ou des cerises.

Pour varier : Remplacer la gousse de vanille par quelques gouttes d'essence de vanille, ajoutées au mélange chaud de lait et de crème.

Pudding à la vapeur aux amandes

Voici un pudding délicieusement léger et mœlleux à déguster en famille.

Préparation : 15 minutes · Cuisson : 1 h 30 · Portions : 4 à 6

125 ml	beurre, ramolli	½ tasse
250 ml	sucre en poudre	1 tasse
15 ml	cassonade dorée	1 c. à s.
3	œufs de taille moyenne	3
1	pincée de sel	1
2	gouttes d'essence d'amande	2
125 ml	amandes ou noisettes, hachées	½ tasse
300 ml	farine, tamisée	1¼ tasse
75 ml	fécule de maïs	5 c. à s.
10 ml	poudre à pâte, tamisée	2 c. à thé
45 ml	lait	3 c. à s.
	un peu de farine, pour saupoudrer	

• Dans un bol, travailler le beurre, pour obtenir une consistance crémeuse, puis y incorporer graduellement le sucre en poudre, la cassonade, les œufs, le sel et l'essence d'amande.

• Incorporer les noix, puis la farine, la fécule de maïs et la poudre à pâte en pliant. Incorporer le lait et bien mélanger.

• Graisser un plat à pudding et saupoudrer de farine.

• Verser le mélange dans le plat et en aplanir la surface.

• Couvrir de papier sulfurisé et attacher à l'aide d'une ficelle.

• Faire cuire à la vapeur dans un bain-marie au-dessus d'une casserole d'eau bouillante pendant 1 h 30, ou jusqu'à ce que le pudding ait levé et soit cuit.

• Transférer dans une assiette chaude et servir immédiatement.

Présentation suggérée : Servir avec de la sauce au chocolat ou un sabayon.

Pour varier : Remplacer l'essence d'amande par de l'essence de vanille. Remplacer les noix par des raisins de Corinthe ou de Smyrne. Mélanger à parts égales de la farine de blé entier et de la farine blanche.

Biscuits au chocolat et aux amandes

Ces irrésistibles petits biscuits croquants sont un vrai régal. À servir comme collation en soirée.

Préparation : 40 minutes · Réfrigération : 1 nuit · Cuisson : 12 à 15 minutes · Portions : environ 50

750 ml	farine blanche	3 tasses
10 ml	poudre à pâte	2 c. à thé
175 ml	sucre en poudre	¾ tasse
15 ml	cassonade dorée	1 c. à s.
1	pincée de sel	1
1	gros œuf, battu	1
350 g	beurre froid, coupé en dés	¾ lb
125 ml	cacao en poudre, tamisé	½ tasse
15 ml	sucre en poudre	1 c. à s.
15 ml	lait ou rhum	1 c. à s.
75 ml	amandes blanchies, hachées grossièrement	⅓ tasse
	un petit blanc d'œuf, pour badigeonner	

• Dans un bol, tamiser la farine et la poudre à pâte et bien mélanger.

• Faire un trou au centre et y verser 175 ml (¾ tasse) de sucre, la cassonade, le sel et l'œuf ; bien mélanger.

• Incorporer le beurre, une petite quantité à la fois, et pétrir le mélange pour obtenir une pâte lisse.

• Réserver environ le tiers de la pâte.

• Ajouter le cacao en poudre, 15 ml (1 c. à s.) de sucre en poudre, le lait et les amandes hachées au reste de la pâte.

• Façonner la pâte en 4 rouleaux d'environ 31 cm (12½ po) de longueur, 3 cm (1¼ po) de largeur et 1,5 cm (⅝ po) d'épaisseur.

• Abaisser la pâte réservée en un triangle d'environ 44 cm (17½ po) sur 31 cm (12½ po) et couper en 4 lanières, d'environ 11 cm (4¼ po) sur 31 cm (12½ po) chacune.

• Badigeonner chaque lanière de pâte d'un peu de blanc d'œuf et y déposer un rouleau de pâte aux amandes, puis enrouler la lanière de pâte autour de la pâte aux amandes, afin de l'envelopper complètement.

• Envelopper chaque pain dans du papier d'aluminium et réfrigérer toute la nuit.

• Retirer les pains du papier d'aluminium, couper en tranches de 1 cm (½ po) et mettre sur une plaque graissée recouverte de papier sulfurisé.

• Préchauffer le four à 200 °C (400 °F).

• Faire cuire au four de 12 à 15 minutes, jusqu'à ce que les biscuits soient cuits.

• Transférer sur une grille et laisser refroidir avant de servir.

●

Présentation suggérée : Servir avec un verre de vin de dessert ou du jus de fruit fraîchement pressé.

Pour varier : Utiliser un mélange à parts égales de farine blanche et de farine de blé entier. Remplacer les amandes par des noisettes ou des pacanes.

CONSEIL DU CHEF

●

Garder les biscuits cuits refroidis dans un contenant hermétique afin qu'ils conservent leur fraîcheur.

Crème glacée au pain de blé entier

Cette crème glacée maison constitue un dessert tout aussi délicieux que rafraîchissant.

Préparation : 15 minutes, plus le temps de congélation · Cuisson : 20 minutes · Portions : 4

75 ml	chapelure fraîche de pain de blé entier	⅓ tasse
75 ml	cassonade	⅓ tasse
2	gros œufs, le blanc et le jaune séparés	2
300 ml	yogourt nature	1¼ tasse
10 ml	miel (facultatif)	2 c. à thé

• Préchauffer le four à 190 °C (375 °F).

• Étaler la chapelure sur une plaque à pâtisserie et couvrir de cassonade.

• Faire cuire au four pendant 20 minutes, ou jusqu'à ce que la chapelure commence à dorer et à caraméliser. Remuer 1 ou 2 fois afin qu'elle soit uniformément dorée. Retirer du four et laisser refroidir.

• Dans un bol, fouetter les blancs d'œufs jusqu'à ce qu'ils soient fermes.

• Dans un autre bol, mélanger les jaunes d'œufs avec le yogourt, puis y incorporer les blancs d'œufs en pliant. Ajouter le miel, s'il y a lieu, et incorporer en pliant.

• Incorporer, en pliant, la chapelure et bien mélanger. Verser la préparation dans un contenant pour congélation.

• Couvrir et congeler de 1 à 2 heures, ou jusqu'à ce que des cristaux se forment.

• Transférer la préparation dans un bol froid et battre à l'aide d'une fourchette afin de briser les cristaux. Remettre dans le contenant pour congélation, couvrir et conserver au congélateur.

• Transférer au réfrigérateur 30 minutes avant de servir, pour ramollir un peu. Servir en boules.

●

Présentation suggérée : Servir avec des gaufrettes ou des boudoirs.

Pour varier : Remplacer la chapelure de pain de blé entier par de la chapelure de pain blanc. Remplacer le yogourt par du fromage frais ou de la crème fouettée. Remplacer le miel par du sirop d'érable.

Petits pains aux graines mélangées

Ces petits pains garnis de graines sont délicieux comme collation à toute heure du jour. On peut les servir fraîchement sortis du four, chaud ou froid.

Préparation : 20 minutes, plus le temps de pétrissage et de levage · Cuisson : 15 à 20 minutes · Portions : 12

750 ml	farine	3 tasses
125 ml	lait tiède	½ tasse
1	bonne pincée de sucre	1
2	sachets de levure sèche active de 8 g / ¼ oz chacun	2
100 ml	beurre, à la température ambiante	7 c. à s.
2	œufs de taille moyenne	2
15 ml	sel	1 c. à s.
30 à 45 ml	huile d'olive	2 à 3 c. à s.
2	jaunes d'œufs	2
60 ml	eau	4 c. à s.
15 ml	graines de carvi	1 c. à s.
15 ml	gros sel de mer	1 c. à s.
15 ml	graines de coriandre	1 c. à s.

CONSEIL DU CHEF

●

Pour réduire quelque peu le temps et l'effort requis, utiliser un mélangeur muni d'un crochet de pétrissage pour pétrir la pâte.

• Tamiser la farine dans un bol. Y ajouter le lait, le sucre et la levure.

• Mélanger pour obtenir une pâte lisse, pétrir doucement, puis laisser lever de 10 à 15 minutes.

• Ajouter le beurre, 2 œufs entiers, le sel et de 15 à 30 ml (1 à 2 c. à s.) d'huile d'olive. Travailler la pâte jusqu'à ce qu'elle soit bien homogène.

• Couvrir la pâte et laisser lever dans un endroit chaud pendant 30 minutes.

• Pétrir de nouveau la pâte et laisser reposer pendant 30 minutes.

• Diviser la pâte en 12 petites boules, puis rouler chaque boule sur une surface légèrement farinée.

• Graisser une plaque avec le reste de l'huile d'olive. Déposer les boules de pâte sur la plaque et les aplatir légèrement.

• Dans un bol, battre les jaunes d'œufs avec l'eau et en badigeonner les boules de pâte.

• Parsemer les boules de pâte de graines de carvi, de gros sel et de graines de coriandre. Laisser lever pendant 10 minutes.

• Préchauffer le four à 180 °C (350 °F).

• Faire cuire au four de 15 à 20 minutes, jusqu'à ce que les pains aient levé, soient cuits et dorés. Servir chaud ou froid.

●

Présentation suggérée : Tartiner de beurre, de tartinade salée ou de pâté végétarien.

Pour varier : Utiliser un mélange à parts égales de farine de blé entier et de farine blanche. Remplacer les graines de carvi par des graines de cumin, de pavot ou de sésame.

Index

Pain d'automne

Ce pain de pommes de terre servi à sa sortie du four est idéal pour accueillir des invités.

Préparation : 40 minutes, plus le temps de pétrissage et de levage · Cuisson : 40 à 50 minutes · Rendement : 2 pains de 500 g (1 lb)

3	pommes de terre farineuses	3
2½	sachets de levure sèche active de 8 g / ¼ oz chacun	2½
30 à 45 ml	eau tiède	2 à 3 c. à s.
750 ml	farine de blé entier	3 tasses
175 ml	lait tiède	¾ tasse
175 ml	eau tiède	¾ tasse
45 ml	beurre, ramolli	3 c. à s.
5 ml	sel de mer	1 c. à thé
1	pomme	1
300 ml	graines de tournesol	1¼ tasse

• Laver les pommes de terre, puis les faire cuire dans une casserole d'eau bouillante légèrement salée pendant environ 20 minutes, jusqu'à ce qu'elles soient tendres.

• Peler les pommes de terre alors qu'elles sont encore chaudes, puis les réduire en purée. Réserver.

• Dans un bol, dissoudre la levure dans l'eau tiède. Dans un grand bol, mélanger la levure et la farine, puis ajouter le lait, l'eau tiède et le beurre. Ajouter le sel, puis pétrir pour obtenir une pâte lisse.

• Peler et évider les pommes, puis râper finement.

• Faire griller à sec les graines de tournesol, sauf 30 ml (2 c. à s.), dans une casserole pendant 5 minutes, puis incorporer à la pâte en pétrissant, avec les pommes de terre en purée et la pomme râpée.

• Mettre la pâte dans un bol, couvrir et laisser lever dans un endroit chaud pendant 1 h 30.

• Graisser deux moules à pain de 500 g (1 lb), répartir la pâte également entre les deux moules, parsemer des 30 ml (2 c. à s.) de graines de tournesol réservées, puis laisser lever dans un endroit chaud pendant 40 minutes.

• Préchauffer le four à 220 °C (425 °F).

• Faire cuire au four de 40 à 50 minutes, jusqu'à ce que les pains soient cuits. Démouler les pains sur une grille et laisser refroidir. Servir en tranches.

Présentation suggérée : Servir en tranches, chaud ou froid, tartiné d'un peu de beurre, de margarine ou d'un pâté végétarien.

Pour varier : Remplacer les pommes de terre par des patates douces. Remplacer les graines de tournesol par des graines de citrouille, de sésame ou de pavot. Remplacer la pomme par une poire.